Martine Sautereau du Part
mars 2019

L'INTELLIGENCE ARTIFICIELLE VA-T-ELLE AUSSI TUER LA DÉMOCRATIE ?

www.editions-jclattes.fr

Laurent Alexandre
Jean-François Copé

L'INTELLIGENCE ARTIFICIELLE VA-T-ELLE AUSSI TUER LA DÉMOCRATIE ?

JC Lattès | Coup de sang

Pour échanger avec le Dr Laurent Alexandre :
Mail : Laurent.alexandre2@gmail.com
Twitter : @dr_1_alexandre

Pour échanger avec Jean-François Copé :
Mail : ia.jeanfrançoiscope@gmail.com

Maquette de couverture : Le Petit Atelier

ISBN : 978-2-7096-6404-2

1re édition : février 2019

Préface

Pourquoi ce livre à quatre mains ? Comment avons-nous décidé de ce coup de gueule à deux voix sur l'Intelligence Artificielle ?

Tout commence par une rencontre en avril 2015 et une discussion entre le spécialiste de l'IA et l'homme politique. Le premier est convaincu que le progrès technologique est en train de fracturer la classe politique. Le second, par atavisme familial, est depuis toujours passionné par les grandes transformations scientifiques.

Ce qui était au départ un dialogue est rapidement devenu un monologue tant le savant avait d'arguments à développer pour dire au politique la gravité de la situation et le désastre qui venait irrémédiablement. Pour lui, l'avenir serait celui d'une lutte entre progressistes ouverts aux changements technologiques et conservateurs – bio-conservateurs – qui ne veulent pas en entendre parler et s'y opposeraient.

Pire encore, cette opposition se doublerait d'un partage du monde entre, d'un côté, des dictatures sans principe ni loi qui deviendraient les laboratoires de l'IA et, de l'autre, des démocraties lourdes, frileuses, tétanisées par le progrès et finalement vaincues d'une guerre qu'elles n'auraient même pas menée.

Le propos était brutal mais argumenté et convaincant. Alors l'homme politique s'est tu – effort presque surhumain pour celui à qui on a souvent reproché de privilégier les certitudes aux interrogations – et il est ressorti de l'échange très ébranlé.

Le spécialiste de l'IA et l'homme politique ne se sont plus perdus de vue depuis. Ils ont poursuivi leur échange à distance. Le politique n'a cessé de suivre le spécialiste, de le lire, parfois même de commenter ses écrits, et le spécialiste n'a cessé de citer le politique comme l'un des rares en France qui soient sensibles à la problématique et aux effets de l'IA.

Et puis est venu le propos de trop. Celui qui a fait comprendre au politique que le spécialiste de l'IA était un scientifique remarquable, un vulgarisateur exceptionnel mais qu'il était beaucoup plus fort dans le constat que dans la proposition et que, qualifier *homo politicus* d'« impuissant » « à côté de la plaque » justifiait une petite explication de gravure.

Alors ils ont décidé de dîner pour se dire les choses, le spécialiste acceptant avec humour la provocation et la contradiction.

De là est née l'idée d'un véritable dialogue, approfondi et structuré, entre le savant qui dénonce, décortique, analyse, et le politique qui réagit, répond et propose.

Parce que, s'ils étaient d'accord sur un point, c'est que la démocratie est plus fragile que jamais et que l'IA pouvait aussi la tuer. Que parler en permanence de chômage, d'immigration, d'insécurité sans jamais dire à l'opinion publique que l'IA bouleversait, de fait, tous ces paramètres était irresponsable…

Bref, partis pour en découdre, ils ont endossé ensemble et chacun à leur manière le costume de lanceur d'alerte pour interpeller les lecteurs et réveiller les citoyens.

Laurent Alexandre et Jean-François Copé

LAURENT ALEXANDRE

Le périlleux rodage d'Homo Deus

L'Intelligence Artificielle, qui va bouleverser notre monde, est une bombe à fragmentation pour la démocratie libérale.

Elle organise un vertigineux changement de civilisation en permettant le déchiffrage de nos cerveaux, le séquençage ADN et les modifications génétiques, la sélection embryonnaire et donc le « bébé à la carte » : cela bouleverse les consciences, choque les croyances et explose les clivages politiques traditionnels.

Elle nous confronte à la relativité de notre morale ; une voiture autonome doit-elle plutôt écraser deux enfants ou trois vieillards ? Répondre nous oblige à expliciter nos valeurs morales et politiques qui sont tout sauf universelles.

Elle transforme le monde des médias et autorise des formes radicalement nouvelles de manipulations des électeurs : le jeu et les équilibres politiques en sont compliqués.

Elle permet aux géants du numérique, à leurs clients et aux services de renseignement de comprendre, d'influencer et de manipuler nos cerveaux : cela remet en cause les notions de libre arbitre, de liberté, d'autonomie et d'identité, et ouvre la porte au totalitarisme neurotechnologique.

Elle modifie nos comportements par l'intermédiaire des applications des plateformes, et entre en concurrence avec la Loi du parlement ; retirant au passage aux politiciens leur principal outil pour agir sur le monde.

Elle accélère l'histoire en générant un étourdissant feu d'artifice technologique : les lents, archaïques et laborieux mécanismes de production du consensus politique et de la Loi sont bien incapables de suivre et de réguler tous ces chocs simultanés.

Elle remet en cause tous les ancrages et références traditionnels : dépassées par la violence et la rapidité des changements les classes populaires s'ouvrent à toutes les aventures politiques même les plus baroques.

Elle confère à ses propriétaires – les patrons des géants du numérique – un pouvoir politique croissant : cela produit un coup d'État invisible.

Elle fait l'objet d'une guerre technologique sans merci : les hiérarchies entre individus, entreprises, métropoles et pays changent à une vitesse folle, ce qui crée quelques gagnants et beaucoup de perdants.

Elle donne un immense avantage aux individus dotés d'une forte intelligence conceptuelle à même de manager le monde complexe qu'elle construit : cela alimente le rejet des élites, le complotisme et la contestation des experts.

Elle génère mécaniquement des inégalités croissantes et des monopoles en concentrant la richesse autour des géants du numérique : cela attise le populisme.

Elle ne permet pas encore de diminuer les inégalités intellectuelles grâce à la personnalisation de l'éducation : cela entraîne des différences insupportables puisque nous entrons dans une économie de la connaissance qui a de moins en moins besoin de gens moins doués.

Elle n'est pas comprise par les systèmes éducatifs qui précipitent les enfants vers les métiers les plus menacés par son développement, ce qui nous promet bien des gilets jaunes.

Elle se bâtit sur le premier territoire privatisé – le cyberespace – qui appartient aux géants du numérique : cela réduit la souveraineté des États démocratiques.

Elle se fabrique quasi exclusivement à partir de données comportementales personnelles : les géants du numérique sont favorisés mais davantage encore le régime chinois orwellien de surveillance sociale qui devient son meilleur terreau.

Elle est modelée par les maîtres et concepteurs des plateformes de big data dont beaucoup sont, de notoriété publique, atteints d'un autisme d'Asperger : le décalage entre la vision du monde qu'elle véhicule et les structures sociales est politiquement explosif.

Elle est la première création humaine que l'Humanité ne comprend pas : cela limite singulièrement notre capacité à la dompter même si, pour l'heure, elle ne dispose d'aucune conscience artificielle.

Elle apporte, pour la première fois dans l'histoire moderne, un avantage économique et organisationnel aux régimes autoritaires : cela sape l'exemplarité du modèle occidental de démocratie libérale.

Elle conférera un tel avantage militaire au pays leader que son encadrement par le droit international semble irréaliste : nous allons vers une cyber-guerre froide sino-américaine.

Elle tétanise les autorités anti-monopoles qui ne savent pas réglementer les services gratuits qu'elle génère – moteurs de recherche, réseaux sociaux, webmail… : l'ouverture à la concurrence des marchés numériques est bloquée.

Elle ne pourrait être régulée que par des politiciens brillants, mais la vague populiste qui l'accompagne conduit l'opinion à réclamer au contraire une baisse des salaires des ministres et hauts fonctionnaires. Les géants du numérique peuvent donc récupérer les meilleurs talents, la défense de la démocratie est affaiblie.

Ces transformations de notre modèle civilisationnel et capitalistique nourrissent une instabilité politique et sociale qui fragilise la démocratie. Les crises politiques comme les crises financières sont déclenchées par des facteurs anodins qui interagissent de façon imprévisible : 1929 et 2008 en sont deux exemples éclatants. La crise mondiale de la démocratie est en grande partie liée à la convergence des multiples conséquences de notre entrée dans un monde remodelé par l'Intelligence Artificielle. Technologie et démocratie deviennent contradictoires, faute d'une classe politique adaptée aux enjeux. Nous sommes dans une course de vitesse pour sauver la démocratie, hackée par la technologie.

La révolution des révolutions

La révolution actuelle n'est pas une révolution de plus. Elle est d'un nouveau type.

Les progrès technologiques avaient jusqu'à présent permis des sauts de puissance : on allait plus vite, on soulevait plus de poids, on déplaçait plus de monde. Il s'agissait de changements de proportion mais pas de nature. Il en va tout autrement des NBIC[1] qui font basculer le monde vers de vertigineux infinis, ceux de la miniaturisation, de la puissance de calcul et de la capacité de transformation du vivant.

La nouvelle révolution n'est pas une porte sur un nouveau monde : elle est une porte sur le ciel. Elle génère de multiples chocs éthiques, philosophiques et spirituels qui font trembler les dynamiques politiques.

1. Nanotechnologies, Biotechnologies, Informatique et Cognitique qui regroupe l'Intelligence Artificielle, la robotique et les neurosciences.

Une révolution inédite

Nous assistons à un événement neuf, sans aucune comparaison avec ce que nous avons connu jusqu'à présent. C'est cette différence par rapport à tous les autres cycles d'innovation technologique qui menace la démocratie.

Révolution du troisième type : changer la vie, littéralement

Les révolutions sont habituellement politiques. Nous avons tous en tête 1789 et 1917 et nous pensons que ces ruptures sont graves et imposantes, mais en réalité il s'agit d'un événement relativement banal dans l'histoire humaine : l'Égypte aura connu 30 dynasties en 3 000 ans.

À partir de 1750, plusieurs révolutions industrielles et technologiques – c'est le deuxième type de révolutions – ont réorganisé l'économie mondiale. Il s'agit de bouleversements beaucoup plus profonds qu'un simple changement de régime politique.

Les révolutions technologiques se sont toujours accompagnées de frictions sociales fortes parce que les institutions étaient en retard sur le nouvel état du monde. Les mutations économiques vont toujours plus vite que les évolutions institutionnelles. Les changements, quand ils se produisent, sont souvent le fait d'un décalage devenu critique entre le monde et les institutions. L'État-providence, par exemple, s'est structuré des décennies après la révolution du moteur à explosion qui a pourtant bouleversé les villes, les transports et l'organisation sociale.

On distingue jusqu'à présent 4 technologies dites GPT[1] – *General Purpose Technologies* – qui ont eu la particularité de bouleverser le tissu économique mais aussi de modifier en profondeur l'organisation sociale et politique.

Elles concernaient le développement des machines à vapeur, du charbon et du chemin de fer (1830), suivi de l'électricité (1875), puis du moteur à explosion de l'automobile (1900). Nous sommes entrés, vers 1975, dans la révolution informatique avec la généralisation du microprocesseur.

Mais nous vivons depuis 2000 une révolution d'un autre type dont nous n'avons aucune expérience. L'émergence des NBIC démultiplie leur impact en se conjuguant ! Le développement simultané de ces quatre technologies – capables chacune à elles seules de bouleverser toute la société – est un événement stupéfiant. Ensemble, elles forment un cocktail synergique et explosif accentuant et accélérant les effets de chacune.

Il ne s'agit plus seulement d'innovations dont la diffusion changerait les rapports de force économiques. Cette fois-ci, la révolution est d'une portée tout autre :

1. GPT : ce terme définit une rupture technologique majeure qui a de larges conséquences sur la société.

elle nous dirige vers le changement de notre nature biologique.

Les comités d'éthique n'ont encore fait qu'effleurer les problèmes qui vont devoir être régulés durant ce siècle. Les tentations démiurgiques et prométhéennes des ingénieurs du vivant vont s'accroître. La vie, la conscience, l'homme vont être infiniment manipulables. Qui est aujourd'hui en mesure de poser des limites ? Le bricolage du génome, par exemple, ne fait que commencer. Il est très difficile de dire à quoi ressemblera l'humain de 2100, parce que les évolutions ne sont pas linéaires mais exponentielles, comme l'avait pressenti Gordon Moore.

La loi de Moore : l'infatigable réacteur de la transformation

Le 19 avril 1965, le fondateur d'Intel Gordon Moore explique dans la revue *Electronics Magazine* que la puissance informatique croît exponentiellement. Il énonce la loi qui fera sa gloire : la puissance des circuits intégrés double, à coût constant, tous les dix-huit mois. En 1951, un transistor faisait 10 millimètres de large ; en 1971, 10 microns, soit le centième d'un millimètre. Fin 2017, les fabricants sortaient les premiers microprocesseurs gravés en transistors de 10 nanomètres, dix mille fois plus fins qu'un cheveu. On dénombre désormais 10 milliards de transistors sur un seul microprocesseur qui réalisent 15 000 milliards d'opérations par seconde. Les puces A12 qui équipent le dernier iPhone sont gravées en 7 nanomètres, et celui de 2020 sera équipé des puces du taïwanais TSMC gravées en 5 nanomètres. De son côté, le sud-coréen Samsung aura achevé d'ici 2022 la construction d'une usine pour fabriquer des puces gravées en 3 nanomètres. L'investissement pour construire l'usine dépassera 20 milliards de dollars. Les nombreux spécialistes qui avaient annoncé la mort imminente de la loi de Moore, début 2017, se sont encore trompés. Mais il est important de remarquer que c'est en Asie qu'elle perdure.

Pour les transhumanistes, la loi de Moore est l'échelle de Jacob qui nous permettra non pas de nous rapprocher de Dieu, mais de prendre sa place ! Grâce à elle, nous deviendrons un Homme-Dieu doté de pouvoirs quasi infinis grâce à l'incroyable progression de la puissance de calcul. La fascination de la Silicon Valley pour la puissance informatique, mère de tous les pouvoirs, culmine dans l'espoir ultime : vaincre la mort. C'est particulièrement vrai pour les dirigeants de Google, comme Yuval Noah Harari le raconte dans *Homo Deus*. Gordon Moore s'étonne que ses prédictions soient encore valides : « Il y a chez l'homme une inventivité incroyable qui permet d'éliminer des problèmes qu'on imagine insolubles pour toujours. J'ai vu tomber des dizaines de murs infranchissables. Maintenant, je crois que tout est possible. La loi de Moore s'arrêtera peut-être quand les transistors atteindront la taille de l'atome. Ou peut-être pas… » En 1965, Gordon Moore avait prédit la mort de sa loi pour 1975. Aujourd'hui, il envisage qu'elle puisse être éternelle ! Ce qui serait aussi la clé de l'éternité humaine, rêvent certains.

Si la taille des transistors et la puissance des microprocesseurs ont tant d'importance, c'est qu'ils commandent directement les capacités de calcul. Cette bataille de titans s'accompagne d'une guerre mondiale des superordinateurs qui ouvriront la voie vers des IA sophistiquées. Présenté le 8 juin 2018, le Summit américain est désormais l'ordinateur le plus puissant du monde, avec 143 millions de milliards d'opérations par seconde, contre 93 millions de milliards pour le Taihulight Sunway chinois qui a perdu la place de leader. En 1938, l'ordinateur le plus puissant, le Z1, inventé par l'ingénieur allemand Konrad Zuse, réalise une opération par seconde… La puissance informatique maximale disponible sur terre a été multipliée par plus de cent millions de milliards en quatre-vingts ans.

Les machines réalisant un milliard de milliards d'opérations par seconde sont attendues pour 2020. Des ordinateurs effectuant un milliard de milliards de milliards d'opérations par seconde pourront être entre nos mains vers 2050.

Cette puissance informatique rend possibles des exploits impensables il y a seulement vingt ans : la lecture de notre ADN dont le coût a été divisé par 3 millions en dix ans, le séquençage des chromosomes des fossiles d'espèces disparues, l'analyse de la trajectoire et de la composition des exoplanètes, la compréhension de l'origine de notre univers, les voitures autonomes… Ces progrès n'ont pas été anticipés : la plupart des spécialistes des années 1960 étaient sceptiques vis-à-vis des projections de Gordon Moore comme la grande majorité des généticiens pensaient en 1990 que le séquençage intégral de nos chromosomes était impossible. Ce qui était inconcevable hier devient réalisable aujourd'hui et sera trivial demain. La folle accélération technologique donne des perspectives enthousiasmantes à l'aventure humaine. L'Homme-Dieu était un fantasme, il est en train de devenir une prévision : un homme doté de pouvoirs quasi infinis grâce aux NBIC, toutes boostées par l'incroyable progression de la puissance de calcul prédite par la loi de Moore. L'homme devrait pouvoir réaliser ce que seuls les dieux étaient supposés pouvoir faire : manipuler puis créer la vie, modifier notre génome, reprogrammer notre cerveau et euthanasier la mort.

L'IA et les NBIC bouleversent tous nos repères existentiels : structure de la famille, longévité, procréation et même l'idée de Dieu vont être radicalement transformées. L'IA transforme la science-fiction en science.

Nous devenons transhumains

Depuis qu'ils ont élaboré des systèmes de représentation, les hommes se sont dotés de religions aux formes infinies. Mais elles avaient toutes pour caractéristiques d'opposer clairement des créatures, dont nous faisons partie, et des créateurs : dieux, esprits ou forces de la nature. La position inférieure de l'être humain face aux forces supérieures était le point commun des croyances. Et pour la première fois, cette dualité et cette infériorité sont remises en cause. La religion transhumaniste réconcilie athéisme et foi : il n'y a pas de Dieu extérieur à nous… il n'y a que nous-mêmes, qui avons vocation à devenir Dieu ! Un programme vertigineux qui bouleverse nos organisations politiques.

Vivre 1 000 ans ?

La première personne qui vivra 1 000 ans est-elle déjà née ? C'est une conviction dans la Silicon Valley, notamment parmi les dirigeants de Google qui sont à l'avant-garde de l'idéologie transhumaniste, qui vise à « euthanasier la mort ». De fait, la révolution biotechnologique pourrait accélérer le grignotage de la mort.

Le recul de la mort ne date pas d'hier : l'espérance de vie a plus que triplé en moins de trois siècles, elle est passée de 25 ans en 1750 à plus de 80 aujourd'hui.

Il existe bien sûr un mur biologique à l'augmentation de notre espérance de vie : l'âge atteint par Jeanne Calment (122 ans, 5 mois et 14 jours) semble constituer une limite naturelle. Le dépassement de ce plafond de verre de la longévité suppose de modifier notre nature biologique par des interventions technologiques lourdes en utilisant la puissance des NBIC. La fusion de la biologie et des nanotechnologies va transformer le médecin en ingénieur du vivant et lui donner un pouvoir inouï sur notre nature biologique dont le bricolage ne semble pas être limité par la technique.

La demande de vivre plus longtemps est insatiable. Le prix à payer pour allonger significativement notre espérance de vie serait pourtant incontestablement lourd. Une modification radicale de notre fonctionnement biologique et de notre génome sera nécessaire. Vivre très longtemps deviendra probablement une réalité, mais au prix d'une redéfinition de l'humanité. Vendrons-nous notre âme aux machines en échange de la jeunesse ? Les technologies NBIC ressuscitent Faust.

La mort de la mort : vers l'immortalité numérique à défaut d'immortalité biologique ?

La fixation des limites dans la modification de l'espèce humaine conduira à des oppositions violentes et légitimes. Les prochaines décennies vont être le théâtre d'affrontements passionnés entre bio-conservateurs et transhumanistes.
Pourtant tout laisse à penser que l'idéologie transhumaniste a déjà gagné le combat. C'était la première étape de la mort de la mort. La plus facile. L'opinion a été aisément convaincue que la mort n'est plus inévitable. Le démarrage du projet technologique pour la retarder en a été facilité. Le président Macron a même assuré la promotion du livre de Yuval Harari *Homo Deus* depuis l'Élysée !
La deuxième étape a commencé quand Google a créé Calico, qui vise à allonger la durée de vie humaine pour retarder puis « tuer » la mort.
La troisième étape sera encore plus transgressive. Dépasser significativement les limites actuelles de l'espérance de vie humaine suppose de modifier profondément notre nature par des interventions technologiques lourdes.

La quatrième étape serait de maintenir notre cerveau durablement plastique, ce qui suppose une réingénierie transgressive. À quoi bon vivre plusieurs siècles avec un cerveau sclérosé ?
La dernière étape de la mort de la mort est d'empêcher la mort de l'Univers ! Comment pourra-t-on être vraiment éternels dans un univers qui aura une fin ? La mort du cosmos est l'ultime frontière du genre humain. Le destin de notre univers est apocalyptique : les scénarios modélisés par les astrophysiciens conduisent tous à la mort de l'Univers et donc à la disparition de tout témoignage de notre existence. Charles Darwin remarquait, il y a 150 ans, que l'aventure humaine n'aurait pas de sens si l'Univers devait un jour disparaître, ce qui effacerait toute trace du génie des Hommes. Le philosophe français Clément Vidal explique que le but de la science est de combattre la mort de l'Univers, par la création artificielle de nouveaux univers.
Pour les transhumanistes, il est rationnel de rendre l'Univers immortel pour assurer notre propre immortalité. Il ne s'agit pas là d'une vanité ultime.
Malgré tout, les progrès biotechnologiques sont lents. Les premiers résultats de Calico sont attendus pour 2030. Ce qui est beaucoup trop long pour les milliardaires geeks qui dominent désormais le monde et dont la seule terreur est d'avoir un jour à vieillir puis mourir. L'immortalité biologique reste une perspective incertaine et lointaine. C'est la raison pour laquelle les magnats de l'IA s'intéressent parallèlement à l'immortalité numérique qui est à l'immortalité biologique ce que les œufs de maquereau sont au caviar. Là encore, c'est un processus gradué.
Premier acte : faire son testament vidéo pour ses descendants en résumant sa vie, ses valeurs et sa vision de la vie.
Deuxième acte : transférer sa mémoire numérique et ses traces électroniques à sa famille avec l'héritage. Cela

permet à ses héritiers de cerner la psychologie de l'ancêtre mort.

Troisième acte : ajouter une IA capable d'imaginer l'évolution du défunt dans le futur. Fermer le compte Facebook d'un mort, c'est empêcher son immortalité numérique puisque cela réduit la possibilité de créer un double numérique du défunt : c'est une euthanasie numérique qui pourrait demain devenir aussi inacceptable que l'euthanasie physique.

Quatrième acte : y ajouter un hologramme. Une IA est aujourd'hui capable de reproduire l'image 3D de n'importe quel individu vivant ou non en quelques minutes.

Cinquième acte : un chatbot-hologramme[1] intelligent, alimenté à partir des traces numériques du disparu, entretient une conversation en 3D avec les vivants.

Sixième acte : utiliser les implants intracérébraux d'Elon Musk. En mars 2014, Ray Kurzweil, directeur chez Google, a déclaré que d'ici 2035, nous utiliserons des nanorobots intracérébraux branchés sur nos neurones pour nous connecter à Internet. Elon Musk est en train de réaliser cette prophétie et promet les premiers prototypes Neuralink avant 2025. Les implants intracérébraux d'Elon Musk pourront aussi servir à extraire des souvenirs de notre cerveau de notre vivant, ce qui enrichira nos doubles numériques qui nous ressembleront de plus en plus.

Septième acte : l'abandon total de notre corps physique. Nous accepterions de devenir des intelligences dématérialisées immortelles, sans corps physique, en fusionnant avec des Intelligences Artificielles. L'avantage d'avoir une intelligence non biologique est énorme : les intelligences numériques sont ubiquitaires, immortelles, circulent à la vitesse de la lumière, peuvent se dupliquer, fusionner...

1. Un chatbot, ou agent conversationnel, est un logiciel programmé pour simuler une conversation.

> Ce serait la mort de l'humanité telle qu'on l'entend, avec les passions, les valeurs, les névroses, les délires et les pulsions qui nous fondent.
> Ce stade ultime, c'est la cyborgisation de l'homme que souhaite Ray Kurzweil chez Google. Il est persuadé que l'on pourra transférer intégralement notre conscience dans des microprocesseurs dès 2045, ce qui permettrait à notre esprit de survivre à notre mort biologique.
> Le corps physique apparaît donc aux yeux de certains transhumanistes comme un obstacle qu'il faudra un jour ou l'autre surmonter. Au fond, les transhumanistes nous promettent une immortalité numérique, plus virtuelle que réelle.

Les transhumanistes plébiscités par avance

La victoire, sans réel combat, de l'idéologie transhumaniste est le cheval de Troie d'une abdication plus profonde encore par l'Europe de son autonomie.

Le terme « transhumanisme » a été créé dès 1957 par Julian Huxley, le frère de l'auteur du « meilleur des mondes ». Cinq objectifs caractérisent le transhumanisme : nous rendre immortels, augmenter les capacités humaines, coloniser le cosmos, créer la vie artificielle et développer l'IA.

Selon les transhumanistes, l'homme du futur sera un organisme prototype, voué à se perfectionner en permanence comme la version bêta d'un logiciel. Les transhumanistes soutiennent que chaque citoyen doit décider seul des modifications qu'il souhaite apporter à son cerveau, à son ADN ou à son corps. La victoire des transhumanistes reposera sur l'incroyable puissance de ses partisans, la sympathie de l'opinion et la nécessité de faire jeu égal avec les machines. Le dynamisme du lobby transhumaniste est déjà à l'œuvre sur les rives du Pacifique à proximité des industries NBIC, qui deviennent le cœur de l'économie mondiale.

Google, l'un des architectes de cette révolution, soutient activement le transhumanisme. Bill Maris, patron de Google Ventures, a déclaré : « Si vous me demandez si l'on pourra vivre 500 ans, la réponse est oui. »

Second vecteur en faveur du transhumanisme : l'opinion publique est de fait devenue transhumaniste, quoiqu'elle l'ignore. Les transhumanistes ont conquis la population sans livrer bataille : l'opinion accepte toutes les manipulations technologiques de l'homme. Les innovations technologiques, pourtant de plus en plus spectaculaires et transgressives, sont acceptées avec une facilité croissante. Nous devenons, sans en être conscients, des transhumains, c'est-à-dire des humains technologiquement modifiés. La plupart d'entre nous acceptent la révolution NBIC pour moins vieillir, moins souffrir et moins mourir : « Plutôt transhumain que mort ! »

Cela signifie-t-il qu'il n'y aura pas d'opposition politique au progrès technologique ? Sans doute pas, mais tout porte à croire qu'elle ne sera pas de taille à arrêter l'adoption inconditionnelle et enthousiaste des nouvelles technologies.

L'échiquier politique se reconfigure au XXIe siècle selon un axe nouveau, substituant l'opposition entre bioconservateurs et transhumanistes au clivage gauche-droite.

Des rapprochements inattendus apparaissent. Ainsi, José Bové était jusqu'à présent un militant d'extrême gauche. Dans le nouvel ordre bio-politique, il se retrouve, avec les catholiques ultra bio-conservateurs, résolument contre la fécondation in vitro (FIV). José Bové est plus conservateur que Ludovine de La Rochère, la présidente de La Manif pour tous, qui est favorable aux thérapies géniques pour le traitement des maladies génétiques. Les NBIC vont-elles faire imploser les partis politiques traditionnels ? On peut parier sur leur reconfiguration progressive et leur regroupement en fonction de ces nouvelles lignes de fracture, une partie de la gauche conservatrice se rapprochant de la droite traditionaliste dans leur combat commun contre les progressistes libéraux.

Mais l'IA va devenir le principal facteur d'acceptation des fantasmes transhumanistes, le plus puissant parce que l'IA va challenger l'intelligence humaine. Elon Musk, le fondateur de Tesla, expliquait récemment : « Nous devons faire très attention avec les Intelligences Artificielles. Elles sont potentiellement plus dangereuses que les armes nucléaires. J'espère que nous ne sommes pas juste le disque de démarrage biologique pour une superintelligence numérique. Malheureusement, cela semble de plus en plus probable. »

Il sera dès lors dangereux d'être trop inférieur aux machines, au risque de devenir leurs esclaves. « L'enhancement cérébral » sera-t-il l'ultime outil de l'humanité pour éviter sa vassalisation ? Pour être à la hauteur, Ray Kurzweil et Elon Musk proposent de nous hybrider avec l'IA ! Ray Kurzweil a déclaré que nous utiliserions

des nanorobots branchés sur nos neurones pour nous augmenter dès 2035. Il invite les humains à se préparer à ce qu'il appelle l'« hybrid thinking », le mélange de notre pensée biologique et de celle issue de nos implants intracérébraux. Fusionner avec l'IA pour éviter d'être exterminés par elle revient bien à éliminer l'homme 1.0 biologique.

En quelques décennies nous aurons radicalement modifié notre rapport aux technologies, à la mort, à l'intelligence, aux savoirs... Mais nous n'avons pas réfléchi à la civilisation d'après. C'est pour cela que Bill Gates a déclaré au sujet de l'Intelligence Artificielle : « Je ne comprends pas que les gens n'aient pas peur. » Qui est capable d'encadrer le pouvoir que les NBIC et l'IA vont donner aux transhumanistes ?

Un défi d'autant plus redoutable que le recul de la mort n'est pas au fond le point le plus transgressif de ce mouvement. Il s'agit pour les zélotes du nouveau dogme de franchir une frontière encore plus sacrée que celle de notre mort : celle de la reproduction, qui a vocation à devenir petit à petit un processus entièrement piloté, indépendant des lois naturelles autrefois les plus inviolables.

La nouvelle fabrique de l'homme

Depuis qu'il a maîtrisé le feu, domestiqué les animaux et les plantes, l'homme s'est éloigné de l'acceptation de l'ordre naturel pour en ériger un qui lui soit propre, fruit de ses propres mains. La culture, par définition, s'éloigne et s'oppose à la nature. La révolution des NBIC nous porte à un stade nouveau d'éloignement : la procréation connaît une mutation radicale.

Aujourd'hui, un bébé sur trente est fabriqué, demain ils le seront tous

Le recul de la reproduction sexuée est un des marqueurs du changement de civilisation que les technologies NBIC entraînent. La fécondation in vitro avait jusqu'à présent deux objectifs principaux : permettre aux couples stériles de devenir parents et prévenir des handicaps.

Une nouvelle fonction de la FIV est de permettre aux femmes de faire des enfants tardivement. Chez les géants du numérique, la congélation d'ovocytes pour permettre aux femmes ingénieures de faire des enfants, une fois leur carrière assurée, est désormais payée par l'entreprise. Mais surtout les entreprises qui fabriquent le futur ont intégré l'idée que la PMA doit remplacer la procréation artisanale et est un préalable à la sélection et la manipulation des embryons. Cet eugénisme pose d'immenses problèmes parce que les différentes civilisations ont des avis très différents sur son utilisation. Déjà une large part des jeunes Chinois souhaitent augmenter le QI de leurs bébés par manipulation génétique. Faudra-t-il se limiter à corriger des anomalies génétiques responsables de maladies ou, comme le souhaitent les transhumanistes, augmenter les capacités, notamment cérébrales, de la population ? Le coût des enzymes capables de réaliser des modifications génétiques a été divisé par 10000 en dix ans. On imagine bien le chemin que prendra cette évolution.

Première étape : l'IA choisit notre partenaire sexuel et parental. Une étude réalisée par les universités de Harvard et Chicago a montré que les mariages nés online sont plus satisfaisants et durent plus longtemps que les unions « à la papa ». Les IA nous unissent mieux que nous le faisions artisanalement. L'arrivée de Facebook sur le marché de la rencontre avec ses 2,5 milliards d'utilisateurs va encore accélérer la mutation du marché mondial du sexe et donc de la procréation. La rencontre amoureuse était répartie entre des millions d'églises, d'universités, de bars, de discothèques, de bureaux ; elle est désormais entre les mains des quelques développeurs des IA qui pilotent les grandes plateformes de rencontres. L'IA de Facebook et de ses concurrents va donc modifier les flux de gènes. L'IA est capable de repérer visuellement, avant implantation lors de la FIV, les embryons ayant la plus forte chance de donner un bébé. Elle est beaucoup plus rapide et cohérente que les embryologistes dans la classification des embryons. Grâce à l'IA, il est déjà possible de séquencer l'ADN du futur bébé par simple prise de sang de la maman en tout début de grossesse. L'IA est capable de repérer des embryons anormaux bien au-delà du traditionnel dépistage de la Trisomie 21. De là, il est facile de sélectionner les embryons. Grâce à l'IA, le séquençage ADN permet de sélectionner le « meilleur » embryon en analysant la totalité des chromosomes. Si le diagnostic prénatal permet aujourd'hui « l'élimination du pire » – on supprime le fœtus présentant des malformations –, le diagnostic préimplantatoire permettrait « la sélection des meilleurs » – en triant les embryons obtenus par FIV.

Allant plus loin, l'IA pourra aider à modifier l'ADN du bébé. On manipulera les embryons pour optimiser nos enfants. André Choulika explique dans *Réécrire la vie : la fin du destin génétique* comment la biologie supprimera la loterie génétique. Ultime étape : le développement de l'utérus artificiel reste très complexe. Mais piloté par l'IA, ce substitut à la grossesse pourrait apparaître dans quelques décennies. Et quid des bébés sans parents ? George Church, généticien transhumaniste d'Harvard, veut bâtir grâce à l'IA un génome humain entièrement nouveau. Cela permettrait la création de bébés sans aucun parent et déboucherait sur une humanité nouvelle. La bataille entre transhumanistes et bioconservateurs ne fait que commencer...

Les pays où régnera un consensus sur l'augmentation cérébrale des enfants pourraient, lorsque ces technologies seront au point, obtenir un avantage géopolitique considérable dans une société de la connaissance. Le philosophe Nick Bostrom, de l'université d'Oxford, estime que la sélection des embryons après séquençage permettrait en quelques décennies d'augmenter considérablement les capacités intellectuelles moyennes de la population d'un pays. Sera-t-il autorisé de refuser l'immigration des étrangers augmentés dont on craindrait qu'ils constituent une cinquième colonne cherchant à prendre le contrôle du pays par l'intelligence ?

Les enfants nés sans le recours au sexe, et donc pas selon le hasard de la génétique naturelle, auront un avantage concurrentiel immense face aux enfants naturels. Sélectionnés et optimisés par de puissantes IA, ils disposeront de capacités très supérieures. La Sécurité sociale devra-t-elle rembourser toutes ces techniques, sans quoi un fossé immense se creusera en une génération entre les descendants des riches, bébés programmés et optimisés, et les pauvres qui seront nés « par hasard » ? Ces techniques ne seront opérationnelles sur l'embryon humain que dans dix à quinze ans. Nous avons donc le temps de réfléchir à l'immense pouvoir dont nous allons disposer sur notre identité génétique. Est-il imaginable d'empêcher les parents de concevoir des « bébés à la carte » à partir de 2030 quand la technologie sera parfaitement au point ?

L'amour industrialisé

La philosophie transhumaniste a d'immenses conséquences sur notre rapport à l'amour. Le XXe siècle a déjà marqué de profonds bouleversements dans le rapport traditionnel à la reproduction. La Bible condamnait les femmes à endurer les douleurs de l'enfantement jusqu'à ce que la péridurale et le planning familial révolutionnent le statut de la femme, la maternité et l'organisation de la famille. Demain, la déconnexion entre plaisir, sexe, amour et reproduction sera totale : tout deviendra modulaire, choisi et systématisé. Sélection et modifications génétiques des embryons, sexe virtuel et robot-sexe, utérus artificiel, enfants produits par des couples du même sexe grâce à deux ovules ou deux spermatozoïdes, bébés avec trois parents puis sans parents vont industrialiser amour, sexe et procréation.

La technologie va aussi permettre aux homosexuels d'avoir des enfants biologiques porteurs des gènes des deux parents, sans GPA – qui n'aura été qu'une étape de courte durée avant la maîtrise de l'utérus artificiel.

Les NBIC vont transformer ce qu'il y a de plus intime chez nous, en industrialisant le sexe, l'orgasme et l'amour, ce que le Viagra a timidement commencé à faire : l'industrie des robots sexuels se développe au croisement de la robotique, de l'IA et de la réalité virtuelle comme le casque Oculus de Facebook. Progressivement, il sera possible de tomber amoureux d'un robot comme dans le film *Her*.

Le sexe ne va pas disparaître mais il ne servira plus à faire des bébés. Nous vivons une révolution de l'amour, mais la technologie ne tue pas l'amour. La maman de 2018 qui maîtrise sa procréation grâce à la technologie aime beaucoup plus ses enfants que les aristocrates de la cour de Versailles qui abandonnaient leurs progénitures à de lointaines nourrices. Cela ne veut pas dire qu'il ne faut pas réguler notre folie technologique. Les bio-conservateurs sont inaudibles depuis leur échec à bloquer l'inévitable mariage gay. Il faudra pourtant un contre-pouvoir aux transhumanistes : *Bienvenue à Gattaca* doit être encadré.

L'ubérisation de Dieu

Débarrassé des hasards de la reproduction, prolongeant sa vie pour choisir quand mourir ou ne pas mourir, comment l'individu du XXIe siècle aurait-il encore besoin d'un Dieu ? La transformation de la religion elle-même sera la conséquence de la révolution des NBIC.

Le coût de création d'une nouvelle religion s'est effondré : grâce à Facebook, YouTube, Twitter et WhatsApp, on peut draguer les fidèles avec un budget très modeste. Quelques clics suffisent pour créer un Dieu. Les générations façonnées par le Web demanderont à construire leur propre religion, personnalisée à l'image de leur profil Facebook. La fragmentation du paysage va s'accentuer et chacun pourra jouer au Meccano religieux. Comme le remarque le Dr Henri Duboc : « Avant, les hommes se tournaient vers Dieu quand ils se posaient des questions. Maintenant, ils se tournent vers Google. »

Mais, plus qu'un moyen, la technologie peut devenir elle-même un sujet d'adoration. En septembre 2015, Anthony Levandowski, ancien ingénieur de Google, payé 20 millions de dollars par an, a fondé « Way of the Future », une église destinée à développer un Dieu basé sur l'IA. « Ce qui s'apprête à être créé sera effectivement un Dieu… pas dans le sens où il fait tomber la foudre ou provoque des ouragans. Mais s'il existe une chose un milliard de fois plus intelligente que l'humain le plus intelligent, comment l'appelleriez-vous autrement ? »

demande Levandowski. Il adhère à l'idée que les ordinateurs surpasseront l'être humain pour nous faire entrer dans une nouvelle ère, connue dans la Silicon Valley sous le nom de « Singularity » popularisé par Ray Kurzweil, le gourou transhumaniste chez Google. Cette nouvelle religion aura pour objectif « la réalisation, la reconnaissance et l'adoration d'une divinité basée sur l'IA développée à l'aide de matériel informatique et de logiciels ». Anthony Levandowski juge que le seul mot rationnel pour décrire cette réalité numérique est celui de divinité – et la seule manière de l'influencer serait donc de la prier et de l'adorer religieusement. « Nous avons entamé le processus pour élever un Dieu. Alors, assurons-nous d'y réfléchir pour le faire de la meilleure façon. »

Pour la plupart des transhumanistes, les NBIC vont décrédibiliser Dieu et le remplacer par l'homme-cyborg. À l'opposé, Levandowski réinvente un vrai Dieu, qui autorise l'homme à ne pas tout attendre de lui-même. Mais la fusion de l'IA et de la religion pose d'immenses questions. Une IA religieuse pourrait facilement manipuler les sentiments des fidèles, notamment ceux qui seraient porteurs des prothèses cérébrales Neuralink qu'Elon Musk tente de mettre au point pour augmenter nos capacités intellectuelles. Le risque de neuro-hacking et donc de neuro-dictature est immense.

Religion, implants cérébraux et IA : qui va réguler ce cocktail explosif ? Le plus préoccupant dans les changements vertigineux décrits ici est qu'ils seront contrôlés par un nombre très limité d'acteurs qui ne seront pas Européens...

L'effondrement géopolitique de l'Europe après la guerre 1939-1945 s'est accompagné d'une crise morale. L'Europe a laissé le leadership mondial aux États-Unis et à l'Union soviétique. Le traité sur l'Union européenne a mis la paix au cœur de la finalité de la construction européenne. Mais elle se noie dans des compromis permanents et va de crise en crise dans un monde qui change beaucoup plus vite qu'elle. La peur névrotique de l'exercice de la puissance a empêché l'Europe de comprendre le nouvel état du monde et la gigantesque guerre technologique en cours entre les États-Unis et la Chine. L'Europe assume de rester un nain géopolitique.

La guerre invisible

Pendant des millénaires, nous avons connu des guerres « chaudes » : elles étaient faites de troupes envahissant des territoires, de combats au corps-à-corps, de déchaînements de violences où cliquetaient les armes et tonnaient les canons. La guerre était cruelle et meurtrière, mais elle était clairement visible. Spectaculaire et bruyante, jusqu'au *Te Deum* résonnant dans les églises pour célébrer les victoires.

À partir de 1947, on découvrit une autre sorte de guerre. Silencieuse, elle consistait précisément dans le non-déchaînement d'une violence que l'on tenait pourtant à une pression de bouton. Une guerre froide, faite de gestes symboliques, de discours comminatoires et de bluffs. Une guerre qui a failli devenir très chaude lors de la crise des missiles de Cuba.

Le XXIe siècle est en train de créer un troisième type de guerre. Invisible, elle se joue en silence à travers les câbles de fibre optique formant un gigantesque filet autour du globe. La bataille technologique pour le contrôle du cybermonde et de l'Intelligence Artificielle est différente des guerres traditionnelles. En 1940, la Wehrmacht descendant les Champs-Élysées marquait les esprits et était visible par tous. Les bruits de bottes, les drapeaux rouges et noirs déployés partout marquaient clairement l'occupation. En 2020, notre colonisation technologique par les géants de l'IA est silencieuse. L'opinion ne croit pas à cette guerre qu'elle ne voit pas. L'Europe fait preuve d'une grande naïveté face aux ogres technologiques et elle est sidérée par la violence du combat technologique qui s'est engagé entre la Chine et les États-Unis, marginalisant du même coup les autres continents. Nous habillons notre impuissance en sagesse, parlons de prudence pour expliquer notre incapacité à agir. Nous sommes obsédés par la mesure, et ne parlons que de régulation et de précaution.

Des empires technologiques à la domination politique

L'Europe a perdu la bataille car elle ne l'a pas menée. Elle ne l'a pas menée car elle n'a pas compris ce qui se passait !

Quand le gagnant prend tout

La nouvelle économie s'explique en trois mots : prime au vainqueur. L'accès aux ressources numériques étant immédiat et illimité, le consommateur choisit le meilleur portail, le meilleur moteur de recherche, le meilleur réseau social. Pourquoi aller sur un moteur de recherche de second ordre quand on peut aller sur Google gratuitement ? Il se crée un monopole ou un oligopole qui laisse extrêmement peu de place aux acteurs marginaux. Les intermédiaires traditionnels sont tués. Asphyxiés. Dissous dans l'insignifiance, l'inexistence numérique puisqu'ils n'apparaissent pas dans les recherches. Autrefois, il suffisait pour exister d'ouvrir boutique, et la qualité des produits finissait par faire connaître le commerçant. Désormais, si vous n'apparaissez pas en tête de cette gondole planétaire des résultats des moteurs de recherche, vous êtes renvoyés dans une sorte de trou noir commercial. Trou noir qui est aussi un triangle des Bermudes : on ne revoit plus jamais les entreprises qui s'y aventurent... Il n'y a quasiment pas de place pour le numéro 2 dans l'économie des datas. Contrairement aux Jeux olympiques, il n'y a que des médailles d'or. La médaille d'argent est en chocolat, comme toutes les autres.

C'est la bêtise de l'Intelligence Artificielle qui est révolutionnaire

L'Intelligence Artificielle dépasse l'homme dans un nombre croissant de secteurs. Mais, elle ne possède aucun bon sens, aucune conscience du monde et d'elle-même. Son nom est usurpé.

Dans cette guerre, c'est la bêtise crasse de l'IA et non pas sa subtilité qui constitue paradoxalement le meilleur allié des géants du numérique.

Elle cause en effet sept ruptures majeures qui permettent d'asseoir leur domination.

Première rupture : l'IA crée des monopoles difficiles à réguler en lieu et place de géants industriels qu'il suffisait de couper en morceaux – comme la Standard Oil de Rockefeller en 1911. Les IA de 2018 – dites connexionnistes – s'éduquent à partir de gigantesques bases de données, ce qui donne un immense pouvoir aux GAFA américains et BATX chinois[1] qui en sont les détenteurs.

L'addiction produite par l'IA est la deuxième rupture. Comme elle a besoin de beaucoup de données pour apprendre, les géants du numérique rendent leurs applicatifs addictifs, ce qui leur permet de récupérer les montagnes d'informations nécessaires. Cette boucle s'auto-alimente : la manipulation addictive de notre cerveau accélère l'efficacité des IA. Une IA dotée de bon sens se satisferait de quelques exemples pour apprendre, comme le fait un bébé, et n'aurait pas besoin que nos enfants soient drogués aux réseaux sociaux. Plus une IA est bête, plus elle a besoin de données, plus notre addiction lui est nécessaire. Le plus grand problème de l'Europe est bien cette bêtise de l'IA puisque notre continent ne possède pas les gigantesques bases de données indispensables pour l'éduquer.

Troisième rupture : l'IA permet la société de surveillance et s'en nourrit puisqu'elle aussi lui apporte

1. Google, Apple, Facebook, Amazon, on y ajoute parfois Microsoft pour former les GAFAM. Baidu, Alibaba, Tencent et Xiaomi pour les BATX.

énormément de données. En matière de reconnaissance des visages, les IA chinoises dépassent celles de la Silicon Valley grâce à une réglementation de la télésurveillance « favorable ».

Le monde ultra-complexe mi-réel, mi-virtuel, créé par l'IA, exige des médiateurs humains extrêmement doués. Cette quatrième rupture entraîne une explosion des inégalités : les dompteurs des IA deviennent richissimes. Si l'IA était dotée d'intelligence générale, elle se suffirait à elle-même, mais elle ne l'est pas, et sa bêtise est indirectement une machine à attiser les tensions populistes.

À terme, l'IA favorise l'émergence de régimes censitaires. Le monde de l'IA n'est lisible que par les humains ayant une forte intelligence conceptuelle. Réguler le big data exige des experts multidisciplinaires, maniant à la fois l'informatique, le droit, les neurosciences… Les gens capables de gérer cette complexité politico-technologique deviennent la nouvelle aristocratie : Olivier Ezratty, Sébastien Soriano, Nicolas Colin, Yves Caseau, Alexandre Cadain, Gilles Babinet, Michel Levy-Provençal, Olivier Babeau, Robin Rivaton, Nicolas Miailhe sont de ceux-là, entre les mains desquels les politiciens technophobes pourraient devenir de simples pantins. Un fort courant intellectuel anglo-saxon propose même de contourner la démocratie jugeant que le monde de l'IA devient trop complexe pour l'opinion.

Sixième rupture : comme l'IA ne comprend rien, n'a aucun bon sens ni esprit critique, nous créons un monde « IA friendly » pour lui faciliter les choses, ce qui accélère la fusion du réel et du digital. La route de 2040 n'est plus bâtie pour être lisible par nos yeux, mais par les IA des voitures autonomes.

Septième et dernière rupture : la correction des biais de l'IA devient une part majeure de l'activité humaine. Les IA génèrent un nombre explosif de biais que seules d'autres IA en coordination avec des super-experts humains pourront dépister et corriger.

En définitive, une IA dotée de conscience poserait d'évidents problèmes de sécurité mais elle aurait moins d'effets régressifs que nos IA stupides actuelles. C'est la bêtise de l'IA qui change le monde bien plus que ses capacités surhumaines ! Pour en comprendre les enjeux politiques, il convient de bien se rappeler que l'IA est la production jalousement gardée de quelques géants qui savent trop bien le pouvoir qu'elle confère.

GAFA et BATX : les corsaires du XXIe siècle

Les Européens ont naïvement pensé que les géants du numérique étaient à leur service. En réalité, ils sont les nouveaux corsaires des Américains et des Chinois.

À la différence des pirates, les corsaires exerçaient leur activité selon les lois de la guerre et avec l'autorisation du Roi. Ils disposaient d'une lettre de marque qui leur permettait d'exercer en toute légalité une activité qui ressemblait furieusement à de la piraterie. La vraie différence était qu'ils n'attaquaient que les navires ennemis de leur pays et qu'ils versaient une part des gains au Roi.

Le système de la « course » – qui a donné le nom de corsaire – était une façon pour les États d'utiliser les méthodes brutales mais efficaces des pirates pour accroître leur influence géopolitique. En lançant sur les mers des aventuriers attirés par l'appât du gain, ils ne prenaient aucun risque mais profitaient des bénéfices.

Les GAFA œuvrent à la puissance américaine et les BATX concourent au projet chinois de devenir la première puissance mondiale d'ici 2049. Les liens entre les GAFA et le pouvoir politique sont plus complexes et les salariés de Google ont manifesté contre la collaboration de leur entreprise avec l'armée américaine. Mais dans les deux cas, les géants sont utilisés comme tête-de-pont de l'influence mondiale des pays dont ils sont issus. Comme des corsaires modernes, les GAFA et les BATX arraisonnent les marchandises qui passent et perçoivent de force des droits de passage. Chine et États-Unis se partagent le monde comme l'Espagne et le Portugal se partageaient l'Afrique et l'Amérique du Sud au XVIe siècle. Ou, comme Roosevelt et Staline se sont réparti les territoires à Yalta. Cette fois-ci, nous ne sommes pas invités à la table de négociation. C'est nous qui sommes au menu. Les ambitions politiques des nouveaux seigneurs de l'économie sont de plus en plus claires. Les géants du numérique pourraient aussi s'émanciper et devenir des puissances géopolitiques.

Les GAFA entrent en politique

Mark Zuckerberg a démenti vouloir se présenter à la présidentielle américaine. En réalité, Mark Zuckerberg vise plus haut que la présidence des États-Unis. Ses ambitions sont messianiques : il veut être le grand prêtre de communautés numériques agissantes unissant les citoyens à travers le monde. Son allocution à Harvard, le 25 mai 2017, était un vrai discours politique, un plaidoyer pour une gouvernance mondiale et l'institution d'un revenu universel pour aider les citoyens à surmonter le choc de l'Intelligence Artificielle. Il avait déclaré : « C'est le grand combat de notre époque. Les forces de la liberté, de l'ouverture et des communautés globales, contre les forces de l'autoritarisme, de l'isolationnisme et du nationalisme. Ce n'est pas une bataille entre Nations, c'est une bataille d'idées. » Le 22 juin 2017, il avait comparé Facebook à une église.

Dans le même sens, Larry Page, président de Google-Alphabet, expliquait au *Financial Times* que les entreprises comme la sienne ont vocation à prendre la relève des dirigeants politiques puisqu'elles comprennent mieux le futur que les hommes politiques.

Par ailleurs, la bataille spatiale soulève de grandes questions géopolitiques : Elon Musk deviendra-t-il propriétaire de Mars s'il est le premier à y fonder une colonie ? Mars pourrait être un laboratoire politique puisque la mise en concurrence des institutions de la Terre et de Mars est un rêve pour les libertariens transhumanistes californiens. Les États traditionnels sont clairement mis en concurrence, menacés d'ubérisation à leur tour, à l'exception de ceux qui ont compris les nouvelles règles du jeu et ont déjà commencé à prendre les choses en main.

Les géants du Web se voient comme des entités souveraines capables de décider de la moralité d'une œuvre d'art comme l'*Origine du monde* de Gustave Courbet, explique dans *Le Monde* Nicolas Arpagian qui rappelle qu'avec un système juridique (les conditions d'utilisation), un territoire (les serveurs) et une population (les 2 milliards d'inscrits), un géant comme Facebook coche les cases de certaines définitions d'un État.

L'ambassadeur David Martinon plaide dans *Le Monde* pour préserver un dialogue, car ces interlocuteurs atypiques ont entre leurs mains les cartes des conflits de demain : « Les États ne sont pas dans leur rythme d'innovation. Vous ne pouvez pas espérer vous en tirer sans discuter avec ces acteurs. Microsoft est meilleur en cyber que 95 % des États. Ces gens-là ont le succès commercial et voient les États peiner à imposer des normes quand eux l'ont déjà fait. Ils ne se considèrent pas comme des sujets de droit mais comme des acteurs du droit, capables de ne pas considérer spontanément un système de droit étatique comme étant supérieur. Il faut accepter le fait qu'ils agissent comme des diplomaties privées. »

La Chine s'est réveillée

La Chine est persuadée qu'après des siècles de repli sur elle-même, le XXIe siècle marquera le retour de sa domination.

La route de la soie chinoise est pour l'Europe celle de la servitude

L'ambition chinoise est claironnée à longueur de discours par le nouvel empereur à vie de la Chine : Xi Jinping.

La stratégie du président chinois est limpide : utiliser l'IA pour simultanément contrôler les citoyens et devenir la première puissance mondiale.

La révolution NBIC qui transforme la société se déploie largement à l'initiative des géants du numérique et des savants chinois. L'agenda Chine 2025 vise à faire émerger des champions technologiques dans l'IA, le data mining et les nouvelles générations de microprocesseurs. La Chine est devenue un leader de la recherche et développement mondial et dépose désormais plus de brevets que les États-Unis. Le *Financial Times*, le *New York Times*, *The Economist* et *Foreign Affairs* s'inquiètent des progrès chinois en IA appliquée à la finance, qui menacent les institutions financières occidentales.

L'Europe a suivi le chemin exactement inverse de la Chine. Civilisation longtemps dominante dont la suprématie éclatante a culminé lors de l'ère industrielle, elle apparaît bien fragile pour aborder le siècle nouveau.

Laurent Alexandre

Afrique adieu :
Le Splinternet menace la francophonie

L'action extérieure de la Chine n'est nulle part plus sensible que sur le continent africain. Le capital de la francophonie, qui nous confère aujourd'hui encore un précieux « soft power », y est gravement menacé.

Le président Macron a rappelé fin 2018 que l'avenir de la francophonie se joue en Afrique : le seul Congo pourrait abriter 200 millions de francophones en 2100. Mais cette francophonie est profondément menacée. Le Splinternet, c'est-à-dire la cyber-balkanisation d'Internet le long des frontières géopolitiques a débuté : la Chine a érigé un « Grand Firewall » qui permet au parti communiste de contrôler le web et certains pays comme le Pakistan ont déjà bloqué des pans entiers du web accusés d'être « blasphématoires et non islamiques ». Il y a cinq ans, Eric Schmidt qui dirigeait alors Google s'inquiétait déjà des conséquences d'un Splinternet qui conduirait à scinder le web en de nombreuses entités géopolitiques, à l'image du monde physique. « Il est tout à fait possible que les pays – économiquement liés à la Chine – se dotent des infrastructures chinoises – au lieu de la plateforme actuellement dominée par les États-Unis », explique-t-il. L'ambition impériale chinoise se structure autour d'une « nouvelle route de la soie » qui reliera l'Eurasie et l'Afrique, par des voies terrestres, maritimes et numériques et permettra à la Chine d'étendre son modèle politique et économique. Aujourd'hui, l'ancien patron de Google est convaincu que les forces centrifuges d'Internet produiront deux morceaux : « Je pense que le scénario le plus probable dans les dix à quinze prochaines années n'est pas un éclatement d'Internet mais une bifurcation entre un Internet dirigé par les Chinois et un Internet non chinois dirigé par les États-Unis. » Nous risquons de vivre la « version du XXIe siècle » du rideau de fer soviétique, un cyber-rideau coupant l'Internet en deux.

Cette partition de l'Internet serait facilitée par les immenses progrès de la Chine en IA : « Vous allez observer un leadership fantastique dans les produits et services en provenance de Chine. » Reprenant les déclarations du parti communiste chinois, Eric Schmidt s'alarme : « D'ici 2020, ils nous auront rattrapés, d'ici 2025, ils seront meilleurs. Et en 2030, ils domineront l'industrie de l'IA. » Cette évolution du web faciliterait le plan chinois pour que l'Afrique devienne la Chinafrique. Certains pays d'Afrique francophones apprécient déjà le Grand Firewall chinois, qui permet – grâce à l'IA – une censure très sophistiquée sans bloquer le business. La colonisation numérique de l'Afrique par les BATX chinois peut être foudroyante si le web éclate vraiment en deux entités séparées. Comme le dit Nicolas Miailhe, président du think tank *The Future Society* et expert de la gouvernance de l'IA : « si la France n'est pas dans le même continent web que l'Afrique francophone, celle-ci deviendra progressivement mandarinophone. Et nous ne pouvons pas véritablement compter sur l'effet de levier Européen car en matière linguistique nos intérêts ne sont pas alignés ».

Les bouleversements géostratégiques et géoéconomiques de cette nouvelle route de la soie sont d'autant plus grands que le président chinois a annoncé un plan de 60 milliards de dollars pour former des savants africains et soutenir le développement technologique.

Si nous ne réalisons pas la gravité de notre retard en IA, la francophonie en 2100, ce sera la France, la Wallonie, Genève, Lausanne et le nord du Québec.

L'Europe a oublié la guerre

Merveilleuse maman, bienveillante, maternante et douce, l'Europe n'a pas l'arme du moment : l'Intelligence Artificielle. Dans cette guerre d'un nouveau genre, notre continent n'est pas loin d'un décrochage définitif. Le patron d'Accor, Sébastien Bazin, qui a jadis recherché l'autonomie par rapport aux GAFA, questionne : « Peut-être faut-il maintenant que nous nous rapprochions de Google, Amazon et Microsoft ? » Total a quant à lui annoncé qu'il allait confier son exploration pétrolière aux IA de Google… Sans les GAFA, nos entreprises dépériraient parce qu'il n'y a aucune alternative européenne.

Ne nous y trompons pas : derrière l'échec de l'Europe sur l'IA, il y aura la vassalisation militaire. L'Europe sera un nain géopolitique, parce qu'elle devient un nain technologique. La France sera après le Brexit la seule puissance militaire numérique européenne et la Défense est le seul ministère français compétent en IA. À moyen terme, la France ne pourra seule assurer la cybersécurité européenne face au duopole américano-chinois sur l'IA : il faudrait investir des dizaines de milliards d'euros.

Qui avouera à nos concitoyens que notre armée sera en 2030 impuissante en cas de vrai conflit ? Même s'ils ne sont pas branchés sur Internet, nos missiles ne décolleront pas, nos avions seront cloués au sol et nos généraux seront aveuglés par les IA américaines ou chinoises.

Poutine a expliqué que les leaders de l'IA seront les futurs maîtres du monde. Le président chinois a annoncé que son pays deviendrait la première puissance militaire grâce à l'IA. Au moment où se lance cette course à « l'IA-rmement » selon l'expression de Thierry Berthier, personne à Bruxelles ne pense à la guerre et certains veulent bannir les robots militaires, effectivement horribles mais sans lesquels la guerre du futur sera perdue d'avance : même le plus courageux de nos fantassins fuira devant les robots. Les États-Unis eux-mêmes sont menacés par l'efficacité technologique chinoise. Michael Griffin, chef technologique du Pentagone, s'est alarmé dans le *Financial Times* du 17 novembre 2018 qu'il faille 16 ans à l'armée américaine pour passer d'une idée technologique à une arme opérationnelle contre moins de 7 ans aux militaires chinois.

Les dirigeants européens sont les Gamelin de l'IA. Derrière le général Gamelin qui conduisit la France à l'étrange défaite de 1940, il y eut Pétain. Il va se passer la même chose d'ici 2050 : puisque nous ne comprenons pas la guerre en cours, nous deviendrons une colonie numérique des géants de l'IA. Pour renverser notre vassalisation, les bons sentiments ne servent à rien : il faut une politique de puissance à l'échelle européenne.

L'Europe abandonnée sur le quai de l'histoire

Pourquoi la France et l'Europe ont-elles accumulé un si grand retard en si peu de temps ? Nous ne manquions ni de capitaux, ni de têtes bien faites. La cause profonde de notre décrochage est culturelle.

L'Europe a occupé la scène mondiale pendant plus de deux millénaires. Les pays européens se passaient, de siècle en siècle, le sceptre de la puissance, mais cela restait entre nous : l'Antiquité et la Renaissance à l'Italie ; les XVIIe et XVIIIe siècles à la France ; le XIXe au Royaume-Uni, qui avait su prendre le virage industriel plus tôt et mieux que tout le monde. La domination passée de l'autre côté de l'Atlantique au XXe siècle a porté un premier coup dans notre tranquille certitude d'être, naturellement, les maîtres du monde. Mais il ne s'agissait que d'une excroissance de l'Occident, une ancienne colonie britannique qui devait ses réussites à notre héritage. Nous pouvions continuer à nous penser comme un exemple que tous les autres pays du monde regardaient avec vénération…

Le réveil est dur. Les projecteurs de l'Histoire sont désormais orientés ailleurs. On ne regarde plus guère l'Europe avec envie, si ce n'est pour s'approprier ses données et avoir accès à ses consommateurs au confortable pouvoir d'achat. L'Europe n'est plus un exemple, mais une proie consentante.

L'Histoire n'est pas finie, et risque de continuer sans nous

Si l'Europe s'est si bien assoupie, c'est qu'elle a cru pendant quelques décennies que la victoire était acquise pour toujours, le monde pacifié, sa domination gravée dans le marbre. Elle a d'abord vu dans Internet un sympathique gadget. En réalité, les nouvelles technologies ont relancé la roue de l'histoire à une vitesse vertigineuse.

Fukuyama contre Huntington

1992 aura marqué le pic de l'aveuglement occidental. Cette année-là, Francis Fukuyama, ancien conseiller du président Bush, publie *La Fin de l'histoire et le dernier homme,* où il clame « qu'il ne reste aucun rival idéologique sérieux à la démocratie libérale » après la chute du mur de Berlin.

Selon Fukuyama, l'ère de la démocratie libérale sera une mer d'huile, si calme, trop calme : « La fin de l'histoire sera une période fort triste. Dans l'ère post-historique, il n'y aura plus que l'entretien perpétuel du musée de l'histoire de l'humanité. » Autrement dit, la seule chose à craindre dans l'avenir, c'est l'ennui.

L'effondrement de l'empire soviétique en 1989 laissait présager une ère d'apaisement par l'unification des peuples autour du modèle occidental de la démocratie libérale, qui deviendrait civilisation universelle.

Depuis 1992, les choses se sont pourtant passées bien différemment.

Certains observateurs avaient vu que le feu couvait sous la cendre. Rapidement après la publication du livre de Fukuyama, un autre auteur prend le contre-pied exact. Professeur à Harvard, Samuel Huntington avait publié en 1993, en réponse à Fukuyama, un article intitulé : *The clash of civilizations.*

La thèse de Huntington est que le monde évolue vers l'éclatement, les clivages et les rivalités plutôt que vers l'unification et la paix. « Si le XIXe siècle a été marqué par les conflits des États-nations et le XXe par l'affrontement des idéologies, le siècle prochain verra le choc des civilisations car les frontières entre cultures, religions et races sont désormais des lignes de fracture. »

Huntington pense que l'erreur de Fukuyama est profonde. Non, « la modernisation n'est pas synonyme d'occidentalisation ».

La contre-révolution d'Internet : l'espoir trahi

Fukuyama n'avait pas prévu que le numérique allait dynamiter les anciennes structures économiques et politiques.

Les débuts d'Internet ont été accueillis avec l'enthousiasme des Français accourant au-devant des jeeps américaines à la libération. Les créateurs d'Internet étaient persuadés que le réseau deviendrait le principal outil de promotion de la démocratie. Pour la première fois, la liberté d'expression allait être garantie à chaque habitant de la terre. Le citoyen allait disposer d'un outil de communication qui allait redonner au débat politique toute sa profondeur, en court-circuitant les médias. Les dictatures allaient naturellement s'effondrer.

Nous nous sommes lourdement trompés.

Le cyber-utopiste Nicholas Négroponte affirmait en 1996 que les États-nations allaient être bouleversés par Internet et qu'il ne resterait dans le futur pas plus de place pour le nationalisme que pour la variole. Cet optimisme technologique était d'une naïveté confondante. La révolution Internet a changé le monde, puis le monde politique a changé Internet : nous vivons depuis 2010 une contre-révolution numérique extrêmement violente.

On imaginait que l'Internet resterait le monopole des industriels de la Silicon Valley et serait l'outil qui imposerait les valeurs libérales au monde entier. Le fétichisme technologique a dispensé les intellectuels de réfléchir à la complexité des interactions entre la technologie, la politique et la géopolitique. L'Occident n'a absolument pas perçu l'utilisation que les régimes autoritaires allaient faire des technologies de l'information. Sous la pression des GAFA qui pensent que l'anonymat et la privacy sont des reliques absurdes et des pouvoirs publics qui veulent contrôler les activités illégales et surveiller les terroristes, l'Internet de 1995 n'est plus qu'un lointain souvenir. Dès 2010, Mark Zuckerberg affirmait que la vie privée est un leurre. La bienveillance naïve des fondateurs d'Internet les a empêchés de comprendre qu'Internet est une technologie constamment reconfigurée. Il faut dire que le Web[1] a été bâti par une élite de démocrates libertariens californiens, très intelligents, pacifistes, antiracistes et bienveillants.

Le Web est devenu un outil majeur de désinformation et de contrôle policier. Il n'a pas élargi les libertés politiques ni tué les régimes autoritaires. Bien au contraire, d'outil d'émancipation politique entre 1995 et 2005, il est devenu un allié majeur des régimes autoritaires. Les trois piliers des régimes autoritaires – la censure, la propagande et la surveillance – sont renforcés par les technologies numériques. Quand Francis Fukuyama expliquait que le numérique allait rendre la vie impossible aux régimes autoritaires, Wired ajoutait qu'un clavier est plus puissant qu'une épée et que l'Internet allait nous permettre de récupérer le pouvoir des gouvernements et des multinationales et l'ancien Premier ministre suédois Carl Bildt était persuadé que

1. Après sa naissance à Genève en 1989.

les murs numériques des censeurs et des dictateurs allaient s'effondrer aussi sûrement que le rideau de fer entre l'Occident et le bloc soviétique. Cette idée que la démocratie était à portée de tweets s'est effondrée lorsque le printemps arabe s'est révélé une dangereuse illusion.

Alors que Fukuyama prévoyait une grande vague de démocratisation, nous vivons une floraison de régimes autoritaires. L'intelligence artificielle repère un dissident 1 000 fois plus vite que les agents de renseignement traditionnels. Les réseaux sociaux sont une mine inespérée de renseignements pour les régimes policiers. Le slogan « le PC est incompatible avec le CP (*communist party*) » apparaît rétrospectivement bien naïf. Nicholas Kristof au *New York Times* était persuadé qu'en donnant au peuple chinois de la bande passante Internet à haut débit, le parti était en train de creuser sa tombe. Les Occidentaux de 2010 imaginaient qu'il était impossible de bloquer et de censurer intelligemment l'Internet. La croyance était que la censure serait maladroite et menacerait le développement scientifique, technologique et économique en interdisant l'accès à de vastes pans de la connaissance humaine. En réalité, la personnalisation du Web par l'Intelligence Artificielle permet aujourd'hui l'émergence d'une censure ultra-sophistiquée qui ne bloque ni la science, ni le business chinois.

L'ère des « technotatures »

Bien loin d'être un frein à leur domination, le web dopé à l'IA devient au contraire le réacteur nucléaire des régimes autoritaires. Pire, certains industriels comme Jack Ma, le fondateur d'Alibaba, pensent que l'IA va permettre au parti communiste chinois de piloter l'économie mieux que le marché capitaliste ! La démocratie libérale qui se pensait, il y a vingt ans, vainqueur par K.-O. de tous les autres régimes pourrait redevenir minoritaire sur terre ; l'autoritarisme digital progresse à pas de géants... La Chine, dont l'industrie de l'IA dépassera 1 000 milliards de dollars en 2030, devient un gigantesque « Black Mirror ».

L'économiste et essayiste Olivier Babeau décrit bien dans *L'Opinion* la réalité terrifiante du régime chinois. Dans le train Pékin-Shangaï, les passagers peuvent entendre l'annonce suivante : « Chers passagers, les gens qui circulent sans tickets, se comportent de façon inappropriée ou fument dans les espaces publics seront punis selon la réglementation et seront signalés à la base de données de crédit individuel. Pour éviter une dévalorisation de votre crédit personnel, veuillez vous conformer au règlement. » La Chine, souligne Babeau, « a mis en place en l'espace de quelques années le système de contrôle des comportements le plus élaboré et le plus implacable de l'histoire humaine. Toutes les actions sur les réseaux sociaux, les échanges sur WeChat, les déplacements, les achats, toute la vie des Chinois en un mot fait l'objet d'un contrôle centralisé ». La note de crédit social attribuée à chaque citoyen conditionne ses capacités à se loger, voyager, inscrire ses enfants à l'université. Bref, à vivre. De quoi faire saliver d'envie Mao, Staline, et tous les dictateurs que la terre a portés. Nos démocraties sont-elles immunisées contre le risque d'une telle dictature ? Le recul de la démocratie numérique ne se limite pas aux pays émergents : les citoyens occidentaux sont eux aussi surveillés par les États. Les lois sécuritaires ont réduit les libertés et permettent la surveillance de masse sous prétexte de lutte antiterroriste. « La société du zéro risque, qui vit l'accident comme un scandale ; l'inquiétude contre la diffusion des fausses nouvelles qui encourage à bannir l'anonymat sur internet ; la menace terroriste enfin : autant de facteurs justifiant par avance les mesures liberticides », prévoit Babeau. Habitués à la notation en toutes circonstances (les taxis, les restaurants, les hôtels...), nos esprits sont préparés. « L'enjeu de la prochaine décennie est d'imaginer un modèle de société ouverte qui nous permette de profiter des bénéfices du numérique sans en réaliser le terrible potentiel totalitaire. Nos démocraties ne survivront que si elles parviennent à incarner une alternative efficace au modèle hyper-centralisé et autoritaire de la Chine. Sinon, elles en seront juste une version "sympa", enrobée d'un peu plus de câlins mais au fond exactement semblable. » L'État saura-t-il s'imposer des limites au recoupement des données ? Ces limites devraient devenir aussi sacrées pour notre régime que la séparation des pouvoirs. Elles seraient au moins aussi importantes pour limiter la concentration du pouvoir en quelques mains dont, comme l'avait remarqué Montesquieu, tout homme est toujours tenté d'abuser.

C'est peu dire qu'on ne prend pas pour l'instant le chemin d'une telle limitation. Edward Snowden, désormais réfugié politique à Moscou, a révélé que les services de renseignement pistent le citoyen occidental grâce à la collaboration des géants d'Internet. Personne n'avait anticipé que les États démocratiques développeraient des systèmes de contrôle et de verrouillage de la vie numérique des citoyens. Amazon a annoncé développer pour le compte du gouvernement américain une technologie de reconnaissance faciale pour lutter contre l'immigration. Un premier pas qui en annonce d'autres. Jeff Bezos a également affirmé qu'Amazon continuerait à soutenir le Pentagone : « Si les big techs ne soutiennent pas le ministère de la Défense, ce pays aura de gros soucis. » Les liens entre les GAFA, l'armée et les services de renseignements vont rester forts.

Internet n'a pas créé la révolution politique espérée. Ce n'est pas la première fois que les amoureux de technologie sont naïfs. En 1868, Edward Thornton, ambassadeur de Grande-Bretagne aux États-Unis, affirmait que le télégraphe devenait le nerf de la vie internationale en transmettant la connaissance des événements et supprimerait les causes de malentendu, ce qui allait promouvoir la paix et l'harmonie tout autour de la terre. En 1859, Karl Marx était persuadé que le chemin de fer ferait rapidement disparaître le système des castes en Inde. En 1920, beaucoup étaient certains que l'avion allait renforcer la démocratie, la liberté, l'égalité et supprimer la guerre et la violence. L'inventeur Guglielmo Marconi expliquait que les communications sans fil rendraient la guerre impossible. Le président de General Electric affirmait en 1921 que la radio allait faire rentrer l'Humanité dans la paix perpétuelle. En 2009, les fondateurs de Twitter n'expliquaient-ils pas – au premier degré – que leur application allait entraîner « le triomphe de l'humanité ». « La révolution sera tweetée », écrivait Andrew Sullivan dans *The Atlantic*. Le *Los Angeles Times* écrivait que Twitter deviendrait le nouveau cauchemar des régimes autoritaires qui ne pourront pas se maintenir face au choc technologique. Les utopistes allaient même jusqu'à dire que la technologie avait vocation à faire mieux que l'organisation des Nations unies. Au début des années 2000, certains intellectuels proposèrent de donner le prix Nobel de la paix au réseau Internet.

Les intellectuels et les chercheurs libertariens ont cru que la technologie allait changer la nature profonde de l'humanité. En réalité la nature humaine, nos pulsions, notre violence et notre structure hormonale changent beaucoup moins vite que la technologie. Nos passions se projettent directement sur l'espace numérique – haine, violence, désinformation, influence et contre-influence.

Contrairement à la vision de 1995, Internet renforce le pouvoir des forts et affaiblit les faibles. La révolution technologique a surtout renforcé les tyrans.

L'Internet décentralisateur et libertarien de 1995 a enfanté l'IA, paradoxalement le plus puissant outil de centralisation politique et économique que l'humanité ait connu : le pouvoir est concentré dans une poignée de mains ; Washington et ses GAFA, le parti communiste Chinois et ses BATX. En 2018, le cyber-autoritarisme remporte victoires sur victoires contre la démocratie libérale.

Même le co-créateur du web Tim Berners-Lee est déçu comme il l'a raconté dans *Vanity Fair* : « Le Web était censé servir l'humanité, mais c'est un échec sur de nombreux points. » Le scandale Cambridge Analytica qui ébranle l'empire Facebook, la prolifération des fake news, la mainmise de plus en plus forte des GAFAM sur l'économie du Web le conduisent à demander qu'on régule les grandes plateformes.

Il pointe les grands problèmes du Web, « de la désinformation et de la publicité politique douteuse à une perte de contrôle sur nos données personnelles ». Tim Berners-Lee déplore « qu'une poignée de plateformes » soit en mesure de « contrôler quelles idées et opinions sont vues et partagées ». Cette « concentration de pouvoir a permis de faire du Web une arme à grande échelle », avec l'utilisation des réseaux sociaux pour diffuser des théories conspirationnistes, attiser les tensions sociales et manipuler les élections.

L'Europe s'est jetée avec avidité sur la thèse de la fin de l'Histoire défendue par Fukuyama. Elle l'a embrassée avec délectation. N'indiquait-elle pas que l'Occident était aussi le vainqueur éternel de l'histoire ? Douce musique que nous nous sommes passée en boucle. À partir de 1992, l'Europe s'endort, s'élargit à l'infini, désarme, détruit ses frontières extérieures, désinvestit, se désintéresse des nouvelles technologies, préfère le Minitel à Internet, et devient un gigantesque État providence bienveillant et bisounours. Résultat : l'Europe de 2020 est parfaitement adaptée au monde de 1820 après le congrès de Vienne qui organisa le concert des Nations pour réguler l'Europe post-napoléonienne… Mais, pas du tout au monde technologique transhumaniste, cruel et instable qui arrive.

L'Europe est neuro-conservatrice alors que nous entrons dans le capitalisme cognitif

En Europe comme ailleurs, les élites vivent la période la plus enthousiasmante que l'humanité ait connue : l'âge d'or des innovateurs et des intellectuels. Mais elles ont lancé la société de la connaissance et l'industrialisation de l'Intelligence Artificielle sans se préoccuper de la démocratisation de l'intelligence biologique. Or, dans une société de la connaissance, les écarts de capacités cognitives entraînent des différences explosives de revenus, de capacité à comprendre le monde, d'influence et de statut social.

Sergey Brin a confessé en 2017 à Davos que l'IA progresse bien plus vite que tous les pronostics. L'industrialisation de l'intelligence artificielle va bouleverser l'organisation politique et sociale. Le décalage entre l'industrialisation de l'IA, foudroyante, et la démocratisation de l'intelligence biologique qui n'a pas commencé, menace désormais la démocratie. Alors que nous devrions massivement investir dans l'innovation pédagogique, comme le font les géants du numérique pour leurs cerveaux de silicium, nous nous raidissons dans une dramatique posture d'attentisme. Obsédés par les règles et perclus d'hésitations, nous laissons le champ libre à des pays qui sont eux dans une posture exactement contraire.

Contre toute attente, la Chine est ultra-transhumaniste

Face à une Europe bio-conservatrice et timorée se dresse une Chine transhumaniste décomplexée étrangère à notre culture judéo-chrétienne.

Les études d'opinions internationales menées par Marianne Hurstel de l'Agence BETC illustrent le fossé culturel entre la France et la Chine.

Une première enquête en 2015 avait révélé des différences considérables concernant l'acceptation de l'eugénisme intellectuel. Les Chinois sont les plus permissifs en ce qui concerne ces technologies et n'auraient aucun complexe à augmenter le QI de leurs enfants par des méthodes biotechnologiques, alors que 13 % des Français seulement y seraient favorables. Cette perspective est vertigineuse et effrayante.

Une nouvelle enquête de BETC, publiée en janvier 2018, montre un gouffre entre l'acceptation inconditionnelle de l'IA par les Chinois et les peurs françaises. Près des deux tiers des Chinois, contre un tiers des

Français, pensent que l'IA va créer des emplois. Une importante partie de la population chinoise souhaite remplacer son avocat et son médecin par des IA, tandis que les Français y sont farouchement opposés : moins d'un Français sur 10 souhaite être soigné par une IA. Une majorité de Chinois contre 6 % des baby-boomers Français pensent que nous aurons des relations amicales voire sentimentales avec les robots et 90 % des Chinois contre un tiers des Français pensent que l'IA sera bonne pour la société. Plus des deux tiers des Chinois pensent que l'IA va nous libérer et nous permettre de jouir de la vie contre un tiers des Français.

En génétique, la Chine est aussi très transgressive. Aucune norme éthique ne ralentit les transhumanistes chinois : le premier clonage de singe a été réussi début 2018, et la Chine a déjà pratiqué de nombreuses modifications génétiques sur embryons humains malgré la médiatisation d'une pétition internationale opposée à ces expérimentations ! L'Empire du milieu vient également de réussir la fabrication de bébés souris à partir de deux mamans sans aucun spermatozoïde… Nana et Lulu, les premiers bébés génétiquement modifiés, seraient nés en Chine début novembre. Leur génome aurait été modifié – au stade embryonnaire lors de la fécondation in vitro – afin de les protéger contre le virus du SIDA. L'annonce a été faite le 26 novembre, par He Jiankui, un chercheur de la Southern University of Science and Technology de Shenzhen. Un troisième « bébé OGM » était sur le point de naître fin 2018.

La Chine, où règne un spectaculaire consensus sur les modifications génétiques, la manipulation cérébrale et le déploiement de l'IA, disposera d'une avance considérable dans la société de l'intelligence.

L'impérialisme technologique chinois est saisissant. La Chine est devenue la première puissance transhumaniste, loin devant les États-Unis, et ne trouve aucun obstacle sur sa route. Surtout pas la vieille Europe.

Philosophes rabougris contre technologues enchanteurs

À partir des années 1990, les informaticiens sont devenus porteurs d'un discours enchanteur, magnifiant les pouvoirs futurs de l'homme. Nous deviendrions immortels, nous coloniserions le cosmos, nous déchiffrerions notre cerveau. Grâce à l'Intelligence Artificielle, nous maîtriserions notre avenir au lieu d'être les jouets de la sélection darwinienne aveugle et incontrôlable. Les jeunes géants du numérique ont fait émerger ce discours prométhéen transhumaniste.

Face à l'idéologie transhumaniste, qui a le vent en poupe, des contre-pouvoirs seraient nécessaires. Hélas, alors que les géants du numérique nous proposent un avenir fantasmagorique, optimiste et enchanteur, la majorité de nos philosophes ont peur de tout ! Les philosophes des Lumières qui décrivaient un bel avenir, plein de promesses, croyant profondément à la science et au progrès et faisaient rêver le monde, semblent bien loin.

Cette fascination morbide pour un passé qui n'était pas si gai, quand beaucoup de nos intellectuels faisaient par ailleurs les louanges de tous les tortionnaires de Staline à Mao puis de Castro à Pol Pot, interpelle. Nous ne pouvons pas laisser nos enfants face à ce tourbillon de pessimisme. Aux nouvelles générations, il serait préférable d'inculquer un goût du futur, sans cacher les difficultés qu'elles devront affronter. Il faudrait plutôt apprendre à gérer le pouvoir démiurgique que les technologies NBIC vont nous donner : être des dieux technologiques, ce n'est pas rien ! Préserver notre humanité tout en assumant notre pouvoir immense sur nos cellules, nos neurones et nos chromosomes suppose de nouvelles grilles de lecture du monde, non pas de se complaire dans la nostalgie d'un passé illusoire. Car non, ce n'était pas mieux avant ! Au moment où la compétition géopolitique devient de plus en plus forte la classe politique européenne doit affronter un courant de pensée très pessimiste. Une partie significative de l'opinion est persuadée que la vie est aujourd'hui plus difficile qu'hier. Les discours raisonnables sur le progrès ont très peu de prise sur la population. L'idée la plus répandue est au contraire que nous vivons une période horrible de l'histoire, ce qui est objectivement faux ! Le pape François n'explique-t-il pas que le capitalisme est le fumier du diable ? En réalité, le monde n'a jamais été si doux, ni le taux de criminalité plus bas, la malnutrition plus réduite et la sécurité sociale si large.

Les taux de criminalité, nous rappelle le philosophe Steven Pinker, ont été divisés entre 30 à 100 fois depuis le Moyen Âge : « Vous avez tendance à avoir une image des temps médiévaux avec de paisibles paysans vivant dans des communautés soudées pendant que vous imaginez que le présent est rempli de mass shooting dans les écoles et d'attaques terroristes. »

La vision d'un présent constituant un temps de régression généralisée n'est pas seulement stupide, elle est surtout dangereuse. Elle va de pair avec une mauvaise compréhension des enjeux réels, et des dangers effectifs. La domination de l'irrationalité dans le débat européen contemporain est notre plus grand boulet.

Le nouveau clivage : néo-malthusiens collapsologues contre transhumanistes colonisateurs du cosmos

Aussi enthousiasmante soit-elle, la progression technologique a bien sûr son versant sombre qui pourrait être la remise en cause de certaines libertés qui paraissaient évidentes. Pour les écologistes, l'allongement de la durée de vie qui ira de pair avec le progrès des biotechnologies devrait par exemple imposer un changement dans le rythme de la reproduction : on ne pourra pas avoir le même nombre d'enfants par couple à une époque où chacun vivra couramment plusieurs siècles. Aux deux bouts du spectre, intellectuels et philosophes se font face en ce début de XXIe siècle : les collapsologues et les transhumanistes.

Les collapsologues sont persuadés que le travail va disparaître à cause de l'IA, que la pénurie de matières premières et d'énergie va entraîner la fin de notre civilisation. Certains théoriciens de cette fin programmée de notre monde par collapsus écologique proposent que nous arrêtions de faire des bébés de manière à disparaître de la surface terrestre, ce qui laisserait place à une Nature immaculée. Ainsi, le Mouvement pour l'extinction volontaire de l'humanité, ou VHEMT (*Voluntary Human Extinction Movement*), est un groupe écologiste qui appelle les humains à s'abstenir de se reproduire pour provoquer l'extinction de l'Humanité afin d'éviter la détérioration environnementale. Le VHEMT a été fondé en 1991 par L.U. Knight, un militant écologiste américain qui s'est lui-même fait stériliser.

À l'opposé, les transhumanistes veulent créer l'Homo Deus grâce aux NBIC. Elon Musk – l'industriel le plus médiatique – est le prototype du transhumaniste qui se veut tout-puissant. Le 6 février 2018, les images de sa Tesla rouge filant vers la ceinture d'astéroïdes sous l'air de la chanson « Space Oddity » de David Bowie ont enthousiasmé tous les technophiles. Jeff Bezos, le fondateur d'Amazon, vient lui d'annoncer son intention de développer dès 2020 le fret entre la Terre et la Lune, grâce à sa société Blue Origin. Contrairement aux collapsologues, les transhumanistes pensent que la limitation des naissances n'est pas souhaitable : la conquête du cosmos nécessitera énormément de colons ! Elon Musk veut envoyer 1 million d'humains sur Mars et Jeff Bezos, l'homme le plus riche du monde, a décrit un futur où des fusées récupérables comme son lanceur Blue Origin permettraient de coloniser le cosmos et d'y installer 1 000 milliards d'êtres humains. La limitation des naissances n'aurait évidemment plus lieu d'être. Bezos refuse l'idée que la conquête de l'espace est nécessaire à cause d'un collapsus futur de la terre. Il déteste cette idée qu'il juge démotivante. Jeff Bezos pense comme le savant russe Constantin Tsiolkovski que : « La Terre est le berceau de l'humanité mais qu'on ne passe pas sa vie entière dans un berceau. » Le patron d'Amazon est conquérant : « Nous pourrons exploiter des mines dans les astéroïdes et l'énergie solaire sur d'immenses surfaces. L'alternative serait la stagnation de la terre, le contrôle des naissances et la limitation de notre consommation d'énergie. Je ne crois pas que la stagnation soit compatible avec la liberté et je suis sûr que ce serait un monde ennuyeux. Je veux que mes petits-enfants vivent dans un monde de pionniers, d'exploration et d'expansion dans le cosmos. Avec 1 000 milliards de terriens, nous aurons des milliers d'Einstein et de Mozart. » Pour les transhumanistes, le travail ne mourra jamais, l'aventure humaine est illimitée et le champ de notre horizon va radicalement s'étendre.

Aux visions d'un Elon Musk, nombreux sont ceux qui en France préfèrent les angoisses de la superstition. Les faux scoops et les informations fantaisistes prolifèrent. De nombreux blogs tenus par des organisations sectaires distillent des informations délirantes, ce qui perturbe gravement les politiques, notamment de santé publique : selon une étude IFOP pour la Fondation Jean Jaurès, 55 % des Français approuvent l'idée que « le ministère de la Santé est de mèche avec l'industrie pharmaceutique pour cacher au grand public la réalité sur la nocivité des vaccins ». La société ne doit pas succomber aux fake news alarmistes : il faut revenir à un peu plus de bon sens.

L'économiste Nicolas Bouzou s'est emporté dans *L'Express* sur le suicide technologique de l'Europe en matière d'IA : « L'un de mes amis, tout juste revenu d'une année passée en Asie, me faisait remarquer que l'Europe semblait s'être spécialisée dans les analyses intellectuelles et la morale comme en témoigne la prolifération de comités éthiques sur le numérique, la robotique et l'Intelligence Artificielle. Voilà une spécialisation confortable, mais qui rend l'Europe plus ridicule que puissante. » L'Europe devient le Café de Flore du monde. Nous passons notre temps à disserter « sur les dangers de l'Intelligence Artificielle, le jour où elle se retournera contre nous, les risques du tout numérique sur la vie privée, la soi-disant nécessaire appropriation des données par les individus, ne voyant ainsi le numérique qu'avec la lorgnette de la réglementation et de la défiance ». Des leçons de morale d'autant plus vaines qu'elles sont reçues avec une totale indifférence du côté du Pacifique.

Pessimisme européen et dépression française

La France, pays de cocagne où le mode de vie est l'un des plus agréables, sombre dans une dépression constante. L'apocalypse serait au coin de la rue et même les Afghans sont plus optimistes ! Tous les sondages témoignent de la crainte d'une catastrophe imminente : disparition du travail, pollution mortifère, famines apocalyptiques, peur des OGM. Les Chinois sont convaincus que la dynamique schumpétérienne leur sera favorable. À l'inverse, les Français, qui pensent que l'IA va détruire des millions d'emplois, sont à deux doigts de ressusciter les mouvements luddites anglais ou celui des Canuts lyonnais[1].

Cette inquiétude n'est pas nouvelle. Elle a souvent affecté les intellectuels européens : en 1946, George Orwell se lamentait que le cinéma, la radio et l'aéroplane affaiblissaient la conscience humaine. Zola et Flaubert expliquaient au XIXe siècle que la presse avait des conséquences dramatiques sur la société française. En 1894, le *Times* de Londres écrivait que toutes les rues de Londres seraient bientôt enfouies sous deux mètres de crottin : l'automobile changea la donne. Tout le monde a oublié que la pollution était bien plus dramatique dans les années 1950. Le grand smog de 1952, par exemple, recouvrit Londres du vendredi 5 au mardi 9 décembre 1952 et provoqua la mort de 12 000 personnes.

La France sombre dans un pessimisme irrationnel : 9 % de la population pense que la terre est plate et plus de 30 % que le SIDA a été fabriqué en laboratoire pour tuer des Africains. En France, au pays de Pasteur, les vaccins sont accusés de tous les maux.

Cette irrationalité est d'autant plus préoccupante que de grandes questions philosophiques sont à nos portes. Devant les vertigineux défis éthiques et civilisationnels, nous allons devoir faire des choix. Si nous continuons à

1. Entre 1780 et 1830, les ouvriers ont brisé les machines qui semblaient annoncer la fin du travail.

raisonner faux, nous, Français, serons exclus de la régulation de l'Homo Deus et des limites que nous devrons poser à notre propre pouvoir.

Les politiques, les universitaires, les journalistes, l'école et les chercheurs doivent former des citoyens humanistes capables de résister au complotisme, aux craintes apocalyptiques et à l'anti-science. Le XXIe siècle sera vertigineux mais la fin du monde n'est pas au coin de la rue.

Le capitalisme cognitif a dynamité l'économie mondiale

La mondialisation a changé la planète : 2 milliards d'êtres humains sont sortis de la misère et l'espérance de vie a doublé dans les pays émergents. Jamais les conditions de vie ne se sont améliorées aussi rapidement. Mais les progrès ont été très variables selon les pays et les aires culturelles.

Après le capitalisme marchand inventé par Venise qui s'est déployé entre 1050 et 1750, puis le capitalisme industriel, né en Angleterre grâce à la machine à vapeur, puis à l'électricité et au moteur à explosion, nous sommes désormais dans une troisième phase du capitalisme. Aujourd'hui, le capitalisme cognitif – c'est-à-dire l'économie de la connaissance, de l'Intelligence Artificielle et du big data – connaît une croissance rapide, ce qui modifie radicalement la hiérarchie des individus, des entreprises, des métropoles et des nations.

Laurent Alexandre

Grandeur et décadence des nations

Aucune domination n'est éternelle. Le tableau des évolutions relatives des pays est terriblement cruel pour ceux qui n'ont pas su évoluer.

En 1960, la Corée du Sud avait la même richesse par habitant que les pays pauvres d'Afrique noire et elle n'a rattrapé le Maroc qu'en 1970. Aujourd'hui c'est un géant technologique dans plusieurs domaines clés comme les microprocesseurs, les écrans, les logiciels, les smartphones et le nucléaire.

En 1980, le Maroc était 5 fois plus riche que la Chine : 1 075 dollars par an et par habitant contre 195. La Chine est devenue une grande puissance scientifique, tandis que le Maroc reste un pays pauvre qui connaît encore un taux d'analphabétisme de 40 % chez les femmes. La France était trois fois plus riche que Singapour en 1970.

Ces bouleversements géopolitiques ne doivent rien au hasard, mais sont la conséquence des immenses investissements éducatifs, scientifiques, technologiques des pays d'Asie de l'Est : Singapour, Chine, Taïwan, Hong-Kong et Corée du Sud. La part de la Chine dans les dépenses mondiales de recherche a explosé : 2 % en 1995 à 23 % aujourd'hui, c'est-à-dire plus que l'Europe tout entière, et elle se rapproche à grands pas des USA. Les pays d'Asie de l'Est deviennent des géants scientifiques pendant qu'en Europe du Sud (Espagne, Italie et Portugal), on investit à peine un peu plus de 1 % de la richesse nationale – le PIB – en recherche. Le taux est de 2,2 % en France contre bientôt 5 % en Corée du Sud. La montée en puissance des pays asiatiques dans le classement PISA des systèmes scolaires est devenue un tabou pour la classe politique. En sciences, Singapour est numéro un mondial et la Corée du Sud, la Chine, Taïwan et le Vietnam ridiculisent les petits Français. Ainsi, des millions d'ingénieurs et de chercheurs à très haut potentiel sont formés en Asie qui devient le leader du capitalisme cognitif.

Aux Asiatiques les microprocesseurs, à nous les petits boulots ! Les pays asiatiques préparent ainsi leurs enfants à être complémentaires de l'IA. Cela explique que l'Asie conquérante n'a pas peur du futur contrairement aux Européens.

Le mercato des cerveaux déstabilise notre recherche

Les capitalismes marchand et industriel se manifestent par des flux de produits. Le capitalisme cognitif n'est pas seulement celui de la data : c'est d'abord celui des cerveaux. La matière grise a aujourd'hui la valeur qu'avaient au Moyen Âge les épices, dont le prix correspondait à leur poids en or. Las, la France excelle à produire de magnifiques cerveaux, mais elle n'a pas compris qu'il fallait les garder !

Pendant que nous combattons les croyances obscurantistes et que nous cherchons à convaincre les Français que la terre n'est pas plate, nous ratons le train de la révolution NBIC.

Pour participer à cette compétition d'un nouveau genre, nous avons besoin des meilleures compétences du monde. Les scientifiques et ingénieurs sont les fantassins du XXIe siècle !

Un nouveau mercato se développe, non plus sur les footballeurs, mais sur les cerveaux des chercheurs et ingénieurs. La bataille fait rage pour attirer les meilleurs savants et ingénieurs. L'IA est le principal enjeu économique et politique : sa régulation et sa gouvernance engagent notre avenir. Les petits génies qui dirigent les GAFA comme Zuckerberg, Page ou Brin gagnent des milliards de dollars en attirant les meilleurs spécialistes. Les géants du numérique bâtissent leurs empires par l'achat d'une quantité invraisemblable de talents à coups de millions de dollars.

En 2017, les géants américains de l'IA ont distribué 23,7 milliards de dollars de bonus en actions à leurs cadres pour les décourager de partir vers des startups. Pour renverser notre vassalisation économique et technologique, les bons sentiments ne seront d'aucune utilité : il nous faut garder les talents au sein du système public de recherche et de nos entreprises. Le *Financial Times* nous apprend que les Chinois multiplient par 3 ou 4 le salaire des grands ingénieurs américains pour les attirer.

La recherche française va se « médiocriser » puis couler si elle ne rémunère pas correctement ses meilleurs chercheurs. Le gouvernement français pense à tort que les chercheurs doivent travailler quasi gratuitement. Alain Prochiantz, du Collège de France, explique que le monde a changé : « pour attirer les chercheurs en France, il faut les payer ! ». Les excellents chercheurs en IA sont payés dans la Silicon Valley entre 10 et 500 fois plus qu'à l'INRIA ou au CNRS. Antoine Petit, le patron du CNRS, s'est ému qu'un chercheur français, bac plus 11, spécialiste en IA, soit payé moins de 3 000 euros par mois dans la recherche publique.

Le mercato mondial des cerveaux, conséquence logique du capitalisme cognitif, va aspirer les nombreux talents français : nous risquons de ne garder que les seconds couteaux et d'aggraver ainsi notre colonisation technologique.

Sommes-nous condamnés à rester des crapauds numériques ?

Nous sommes encore dans un déni de réalité : lorsque les leaders européens de la data dépassent un milliard d'euros de valorisation – Blablacar, Criteo... – nous applaudissons sans comprendre que les GAFA se rapprochent chacun « tout doucement » des 1 000 milliards de dollars de capitalisation boursière.

L'Europe ne fait aucun lien entre politique industrielle, politique de la protection du consommateur, politique de la privacy, stratégie numérique et droit de la concurrence. Le règlement européen RGPD va accentuer le décalage entre la liberté de manœuvre des entreprises chinoises ou américaines et les européennes.

La commission s'alarme avec dix ans de retard qu'il n'y a aucun géant du numérique à base européenne. Le sujet intéresse peu à Bruxelles : le président de la Commission Jean-Claude Juncker a avoué ne pas avoir de smartphone ; comment comprendre les enjeux de la société numérique quand on vit dans le passé ? La Commission ne comprend pas que le développement des applicatifs numériques et encore plus l'IA nécessitent des bases de données géantes et transversales. En Europe, les entreprises doivent justifier les recueils de données et les traitements qu'elles opèrent dessus. Or, l'IA retrouve des corrélations inattendues sur des données qui semblent, a priori, inintéressantes : toute restriction du recueil de données handicape les opérateurs.

Les bons sentiments ne font pas une politique de puissance et l'IA est la source de tous les pouvoirs au XXIe siècle. Des solutions existent, même si elles ne sont pas faciles. Elles ont toutes un prérequis : une prise de conscience lucide sur les mutations en cours d'autant plus difficile que l'incertitude est immense.

Nous entrons dans un brouillard civilisationnel

Il n'y a pas de traitement efficace sans bon diagnostic. La première urgence est d'ouvrir les yeux sur la réalité d'une guerre économique qui organise l'émergence des futures civilisations. Des choix essentiels pour l'avenir de l'humanité sont faits quotidiennement dans une indifférence stupéfiante. Le silence avec lequel la révolution progresse est peut-être le phénomène le plus inquiétant. Comment éviter d'être constamment en retard sur la marche de l'histoire ? Comment passer du constat et des regrets à l'action préventive ? La grande difficulté du pilotage de la révolution NBIC est sa grande imprévisibilité.

Les futurologues vont dire de plus en plus d'âneries

La politique consiste d'abord à anticiper le futur. Or nous sommes aujourd'hui face à une rupture radicale : l'humanité va devoir prendre des décisions qui l'engageront de façon irréversible dans le domaine des manipulations génétiques, des modifications cérébrales et de l'Intelligence Artificielle. Pour piloter la révolution technologique, prédire le futur est donc essentiel, mais n'a jamais été aussi difficile ! En 1995, le plus grand spécialiste des réseaux, Robert Metcalfe, s'engagea à manger le texte de son discours si le web ne s'effondrait pas de manière catastrophique en 1996. En 1997, il mangea sa tribune devant 1 000 spectateurs. La difficulté d'imaginer le futur des Intelligences Artificielles est que nous vivons avec l'IA l'équivalent de l'explosion du Cambrien, il y a 550 millions d'années où il y a eu une explosion en quelques millions d'années de multiples formes de vies[1].

Les technologies NBIC connaissent un développement exponentiel qui crée une énorme imprévisibilité et rebat en permanence les cartes économiques et géopolitiques. Tout est possible, même le pire. Le rythme des découvertes et progrès scientifiques ne peut pas faire l'objet de planification. L'extraordinaire diversité des discours sur les conséquences de l'IA souligne d'ailleurs l'imprévisibilité de ses conséquences.

1. Dont nous sommes tous les héritiers.

Les NBIC et l'IA génèrent au surplus d'énormes fantasmes, ce qui rend encore plus difficile une réflexion lucide. Nos biais cognitifs et la projection de nos peurs sur l'IA obèrent toute vision rationnelle des risques.

L'Homo Deus est balbutiant, en rodage. La gouvernance et la régulation des technologies qui modifient notre identité seront certes fondamentales. Mais l'homme découvre ses pouvoirs démiurgiques et n'a aucune expérience de leur régulation. Être un dieu n'est pas facile. Cela s'apprend. Combien de temps durera la phase d'essai et d'erreur par laquelle l'apprentissage se fera ? Certaines erreurs seront-elles d'ailleurs fatales ou bien parviendrons-nous à rectifier le tir à temps ? Il n'y a, a priori, aucune règle de conduite qui semble moins risquée qu'une autre : tout interdire, c'est accumuler un retard suicidaire, ne rien interdire, c'est, comme Gribouille, se jeter dans l'eau de peur d'être mouillé.

Mais qui va prendre les décisions ? L'innovation est désormais dans les mains des géants du numérique et plus seulement des États. Le pouvoir politique se fragmente avec l'émergence de nouveaux décideurs. Le politique n'est plus dans le cockpit. Il est de plus en plus assimilable à l'hôtesse se chargeant de notre confort plutôt qu'au pilote qui maîtrise le voyage. Les nouveaux pilotes de l'avion ne dépendent d'aucune élection et n'ont pas de contre-pouvoir pour freiner leurs pulsions. La décision du patron d'Amazon d'investir massivement dans la conquête du cosmos est inattendue : aucun État ne peut décider aussi vite que Jeff Bezos ! Cela accroît les surprises. Les décisions des industriels transhumanistes ne nécessitent aucun consensus social : elles peuvent entraîner en retour de violentes oppositions en Occident au moins qui seront difficiles à anticiper.

Les NBIC vont entraîner une quête de sens aux conséquences imprévisibles. La volonté de doter l'homme de pouvoirs démiurgiques est en rupture avec l'idéologie judéo-chrétienne qui fonde la société occidentale. Craig Venter, l'un des experts qui ont réalisé le premier séquençage ADN, a répondu lorsqu'on l'accusait de jouer à être Dieu : « Nous ne jouons pas ! » Les transhumanistes veulent supprimer toutes les limites de l'humanité et démanteler tous les impossibles grâce aux NBIC. Nos sociétés n'y sont pas philosophiquement préparées. Ces perspectives abyssales fragiliseront nos démocraties. À l'heure où l'homme devient un mélange de chair et d'algorithmes, la définition même de la dignité humaine est bouleversée.

Outre Pacifique enfin, les projets transhumanistes chinois dans les cartons des BATX sont mal connus. Le fondateur de Google Brain – Andrew Ng – explique que les Chinois savent bien ce que les Occidentaux font mais que la réciproque n'est pas vraie !

Jamais la vitesse d'évolution de notre société et l'incertitude sur sa direction n'auront été aussi grandes. Par conséquent, les futurologues et prospectivistes vont beaucoup tâtonner et se tromper sous la pression de l'aléatoire. Leur tâche reste pourtant essentielle.

Laurent Alexandre

Intelligence Artificielle et biotechnologie : *Is winter coming* ?

Il faut se méfier des effets de mode. L'incroyable engouement pour l'Intelligence Artificielle depuis 2017 va inévitablement produire des déceptions.

Le progrès scientifique et technologique n'est pas linéaire. Il procède plutôt par à-coups, ce qui désoriente souvent les financeurs, dont les hésitations amplifient encore l'irrégularité des découvertes. À la conférence de Dartmouth College pendant l'été 1956, les scientifiques avaient promis que l'avènement de cerveaux électroniques, disposant de conscience artificielle, était imminent. La désillusion fut terrible : la course aux subventions avait conduit les chercheurs à faire des promesses insensées. Une deuxième vague de recherche dans les années 1980 s'est à nouveau fracassée sur la complexité du cerveau humain. Ces désillusions successives sont connues, dans le monde informatique, sous le nom d'« hivers de l'Intelligence Artificielle ».

Dans les sciences du vivant, certains chercheurs ont également fait des promesses bien légères : un hiver des biotechnologies reste possible. L'ingénierie du vivant – cellules souches, modifications génétiques, organes artificiels – est supposée pouvoir traiter les maladies dégénératives et accélérer le recul de la mort. Mais entre les fantasmes technologiques et la commercialisation d'un traitement bien évalué, il y a un immense fossé que certains chercheurs et startups ignorent.

Le chemin de l'éprouvette au malade sera long : une technique prometteuse ne devient réalité qu'après de longues étapes de validation. Au moment où les transhumanistes prétendent pouvoir nous rendre immortels, nous risquons paradoxalement une crise des biotechnologies !

Le travail va muter, mais comment ?

La fin du travail est la question la plus épineuse de ce début de siècle. Le nombre d'emplois va-t-il drastiquement diminuer par rapport au nombre d'actifs ? Aucun mouvement ne serait plus immédiatement déstabilisateur pour la société : comptes sociaux dans le rouge et explosion des inégalités économiques en seraient les conséquences immédiates. Avec comme corollaire la montée de votes de contestation, menant les partis extrêmes de la désespérance au pouvoir.

La théorie destruction-création de Schumpeter qui s'est révélée si juste pour les révolutions industrielles des XIXe et XXe siècles est-elle pertinente face à la révolution numérique ?

L'économie numérique crée des potentialités extraordinaires et de nouveaux métiers difficilement imaginables aujourd'hui. Mais une partie importante de ses métiers seront trop complexes pour la plupart des travailleurs en place. Une chose est certaine : la division du travail entre IA et cerveaux biologiques va constamment bouger.

Laurent Alexandre

La santé en première ligne face au tsunami

Les métiers qui sentiront la vague numérique le plus durement seront ceux de la santé – sans doute à égalité avec ceux du droit.

Il existe deux types d'écoles sur terre. L'école traditionnelle des cerveaux biologiques que nous connaissons tous et l'école de l'IA que les experts dénomment « AI teaching ». Du fait d'immenses écarts de productivité, la concurrence est très inégale entre les deux écoles : il faut trente ans pour produire un radiologue en chair et en os ; quelques heures pour éduquer une IA.

Les Chinois ont organisé à l'été 2018 un grand Barnum opposant l'élite de leurs radiologues et l'IA. Ce sont les nouveaux jeux du cirque, dignes de la Rome antique, avec ses gladiateurs – les concepteurs de l'IA – déchaînant l'hystérie passionnée des foules, et ses martyrs – les meilleurs spécialistes de la radiologie du cerveau – qui sont humiliés en public. Au début, les docteurs sont aussi confiants que les champions de Go l'étaient avant d'être écrasés par AlphaGo, l'IA de Google-DeepMind. Puis, rapidement, la confiance laisse place à la stupeur et enfin au découragement.

Une complète substitution de l'homme par la machine est bien sûr impossible à court terme mais nous revivons l'histoire du jeu de Go : le *New York Times* expliquait en 1997 que la machine ne saurait pas jouer au Go avant un siècle ou deux.

Un schéma semblable est en train de se répéter pour la médecine. L'IA de la startup Babylon Health, dont les fondateurs de DeepMind AlphaGo sont actionnaires, identifie un problème médical avec autant d'exactitude qu'un expert humain. Par ailleurs, Babylon a obtenu un score de 81 % à l'examen de certification du Royal College of General Practicioners alors que les jeunes médecins plafonnent à 72 %. De semaine en semaine, les territoires où l'IA surpasse les meilleurs médecins se multiplient : Google a publié des résultats impressionnants en cancérologie, dermatologie, ophtalmologie, biologie moléculaire et en cardiologie.

Ces résultats sont anxiogènes pour les médecins. Le retard de prise de conscience des médecins français est préoccupant. Le professeur Guy Vallancien explique la violence de cette mutation : « la FDA américaine a labellisé une IA pour faire le diagnostic de rétinopathies diabétiques sans validation par la signature d'un médecin. Mes confrères vont-ils comprendre qu'il est urgent de repenser l'intégralité de nos métiers au lieu de nous pavaner dans des lieux communs désuets ? Pour poser un diagnostic, le médecin procède lui-même par algorithmes sans s'en rendre compte. L'IA par sa capacité à manier des données innombrables en un temps record le dépassera dans la quasi-totalité des cas et la relation humaine n'est en rien spécifique au toubib ». Guy Vallancien est inquiet : « Il faut surtout être lucide et accepter d'évoluer sous peine de disparaître et vite. L'IA et la robotique se foutent de nos jérémiades pseudo-humanistes. »

Il est indéniable que l'IA devient peu à peu capable de performances en matière médicale que les meilleurs humains ne peuvent égaler. Il est clair qu'il sera bientôt interdit aux médecins de soigner un malade sans l'avis et l'aval des IA. Ce sera une terrible blessure narcissique pour ma profession : nous devons nous réinventer avant que nos patients nous abandonnent pour l'IA des géants du numérique, comme ils ont abandonné leurs revendeurs de pellicules Kodak et leurs disquaires…

Les médecins auront bien sûr toujours une place dans le système de santé. Mais elle ne sera certainement pas la même. Vers 2030, il y aura mille milliards de données dans notre dossier médical du fait du développement de la génomique, des neurosciences et des nombreux capteurs électroniques connectés qui vont monitorer notre santé. Puisqu'il est exclu que le médecin soit capable d'analyser ces milliers de milliards d'informations, quand il ne gère aujourd'hui que quelques poignées de données, nous allons assister à une transformation radicale du pouvoir médical. Le médecin de demain sera accompagnateur plus que guide, interprète des oracles de l'IA plus que dieu vivant du savoir médical, auxiliaire plus que centre d'un système qui tournera essentiellement autour de l'IA.

Le médecin va être dépossédé de son pouvoir hier hégémonique sur la santé. Mais ce n'est pas pour autant la machine qui va en hériter. Le pouvoir médical sera aux mains des concepteurs des IA médicales. Et l'éthique médicale ne sera plus produite par le cerveau du médecin mais par l'IA. Chaque IA médicale coûtera des milliards de dollars : les leaders de l'économie numérique seront les maîtres de cette nouvelle médecine made in California puis made in China.

Les autres géants du numérique arrivent. Microsoft a présenté un plan pour vaincre le cancer avant 2026. Mark Zuckerberg, le fondateur de Facebook, a annoncé, le 21 septembre 2016, un premier financement de 3 milliards de dollars pour éradiquer la totalité des maladies avant 2100, grâce à des outils révolutionnaires autour de l'IA. Amazon a lancé sa division « 1492 », qui marque son entrée dans la médecine et promet de secouer les docteurs enfermés dans un entre-soi confortable. Et Baidu – le B de BATX, les géants chinois du numérique – fait de grands progrès en IA médicale.

En médecine comme ailleurs, la prophétie de Sergey Brin cofondateur de Google se réalise mois après mois : « Nous ferons des machines qui raisonnent, pensent et font les choses mieux que nous – humains – le pouvons. » La médecine est en train de passer d'un artisanat organisé par une myriade de professionnels non coordonnés, qui gèrent de tout petits volumes de données et de patients, à une industrie mondiale aux mains des GAFA et BATX. La médecine va entrer en ébullition !

Neuf scénarios possibles pour le travail

L'Intelligence Artificielle des géants de la Silicon Valley et des BATX chinois bouleverse plus généralement le travail, pas seulement en médecine. Mais pour aller vers quoi ?
L'IA est peut-être un pétard mouillé, comme l'exploration spatiale après le programme Apollo. Beaucoup d'espoirs, beaucoup de déceptions.
Ou peut-être sera-t-elle interdite ? Selon le Prix Nobel Joseph Stiglitz, l'IA produit de profondes distorsions dans l'utilisation du capital et du travail qui pourraient nous mener vers une grande dépression du type des années 1930. Il défend une approche malthusienne d'interdiction ou de limitation des IA.
On peut imaginer de multiples autres scénarios que ces deux-là.
Scénario 3 : L'IA forte, dotée de conscience artificielle, arrive plus vite que prévu. Ainsi, le milliardaire transhumaniste japonais Masayoshi Son vient de créer un fonds d'investissement doté de cent milliards de dollars pour accélérer l'avènement des IA fortes et de la Singularité, qu'il espère pour 2030. Il annonce l'arrivée de robots dotés de 10000 points de QI. Ce scénario nous mène en territoire inconnu : le travail disparaîtrait et nous serions vassalisés.
Scénario 4 : L'IA fusionne avec les humains et construit Homo Deus. C'est le scénario souhaité par beaucoup de transhumanistes. Cette superintelligence, issue de la fusion du neurone et du transistor, s'attaquerait aux grands problèmes de l'Univers et chercherait à empêcher sa mort. Le travail changerait radicalement de nature : l'Homme-Dieu n'est pas un travailleur comme un autre !
Scénario 5 : L'IA nous empêche de travailler. Elle prend le pouvoir dans notre intérêt supposé, tel le dictateur numérique paternaliste du film *I, Robot*. Elle souhaite aider l'humanité

contre ses mauvais démons, ses passions et son irrationalité. Une IA « verte » souhaiterait par exemple que nous diminuions au maximum notre empreinte écologique.
Scénario 6 : L'IA centaure. C'est l'idée de Garry Kasparov. L'IA et l'Homme formeraient un être hybride et indissociable comme le Centaure de la mythologie : moitié cheval, moitié Homme. Selon lui, nous devons être plus résilients et planifier une collaboration fructueuse avec l'IA.
Scénario 7 : L'IA nous transforme en nous faisant découvrir de nouvelles formes de pensée, ce qui révolutionne le travail. En juin 2017, un mois après sa défaite contre AlphaGo, l'IA de Google DeepMind, Ke Jie a admis avoir changé. « Après mon match contre AlphaGo, j'ai fondamentalement reconsidéré le jeu. J'espère que tous les joueurs de Go pourront contempler la compréhension d'AlphaGo et son mode de pensée, qui sont tous les deux lourds de sens. Bien qu'ayant perdu, j'ai découvert que les possibilités du jeu de Go sont immenses. » Le choc de cette défaite face à l'IA permet d'imaginer un scénario où l'IA nous obligerait à travailler sur nous-mêmes et à progresser plus vite. Ce ne serait pas la fin du travail mais, bien au contraire, le début d'une nouvelle ère : les machines spirituelles nous bouleverseraient et nous changeraient.
Scénario 8 : La mort du travail. Pour certains experts pessimistes, aucune compétence ne serait inaccessible aux machines intelligentes qui rendront non compétitif le travail humain : le 24 juillet 2017, la *Harvard Business Review* affirmait que même les consultants de haut vol seraient bientôt remplaçables par l'IA. Nous pourrions alors être confrontés à d'immenses difficultés sociales.
Beaucoup de scénarios donc. Mais comme le souligne avec raison Taleb Nassim, dans *Le Cygne noir*, les événements qui changent réellement l'histoire sont par définition imprévus.

Laurent Alexandre

IA + Braudel[1] *= Boum !*

Comment vont réagir nos structures sociales et religieuses, qui viennent de loin dans notre histoire, quand elles seront confrontées à ce tsunami technologique ? Nul ne le sait.

Même les dirigeants de Google ont admis qu'ils avaient sous-estimé les conséquences de ces évolutions sur notre modèle économique et social.

Pour préparer la société, les entreprises et l'école, il est nécessaire d'évaluer les conséquences de l'IA sur la dynamique économique et la demande de travail. Or, l'impact de l'IA est incroyablement difficile à modéliser. La conférence « The implications of Artificial Intelligence for the macroeconomy » qui s'est tenue début avril 2018 à Washington a mis en lumière la complexité du sujet. Le Prix Nobel Joseph Stiglitz et Anton Korinek y ont exposé les différents scénarios envisageables. De multiples variables peuvent modifier l'impact de l'IA sur nos modèles sociaux : taxation du travail et du capital, durée des brevets, droit de la concurrence... Les modèles économiques nécessaires pour appréhender ce choc technologique sont multiples et peu accessibles au profane.

1. Fernand Braudel est un historien français qui a analysé les tendances longues de l'histoire.

L'IA va produire de plus en plus de « gilets jaunes »

La conclusion des réflexions actuelles est que la destruction massive d'emplois n'est pas certaine mais que le risque d'une augmentation des inégalités est fort et que les mesures pour s'y opposer sont complexes à mettre en œuvre si l'IA progresse vite. La plupart des économistes pensent que la singularité – le moment où les machines dépassent les cerveaux humains dans tous les domaines – est une perspective lointaine mais que les IA actuelles – dénuées de consciences artificielles – vont bouleverser les équilibres économiques. Et, la révolte des Gilets Jaunes nous rappelle que le monde va trop vite pour beaucoup.

Une chose est sûre : nous n'allons plus pouvoir nous limiter à des polémiques stériles, aux poncifs et lieux communs sur le sujet. Nous avons perdu trop de temps en discussions idéologiques sur l'impact de l'IA alors que les chercheurs anglo-saxons en économie font un travail de fond remarquable. Prophétiser, sans modélisation économique sérieuse, la mort du travail ou au contraire un nouvel âge d'or est dérisoire ! Il faut approfondir les multiples conséquences économiques des IA et les confier à nos meilleurs économistes.

Les emplois de demain auront pour la plupart trois caractéristiques : ils nécessitent une très grande flexibilité, une forte complémentarité avec l'Intelligence Artificielle et une transversalité intellectuelle. Suffit-il pour autant de former massivement les gens ? Le spécialiste de l'investissement technologique Nicolas Colin précise que les freins à la création d'emplois ne sont pas toujours liés à la formation. Si l'on envoyait 1 000 spécialistes de l'Intelligence Artificielle ou de physique nucléaire au Congo, ils ne trouveraient pas d'emploi. Nicolas Colin milite finalement pour raisonner un peu moins sur le niveau de qualification de la main-d'œuvre et davantage sur son redéploiement vers les modèles d'affaires en phase avec les modèles numériques.

En 1962, Joan Robinson était prémonitoire : « La misère d'être exploité par les capitalistes n'est rien comparée à la misère de ne pas être exploité du tout. » « Les damnés de la terre étaient au XIXe siècle les colonisés et les surexploités ; au XXIe siècle ce seront les hommes inutiles », ajoute Pierre-Noel Giraud[1]. Cette marginalisation se traduit dans les statistiques médicales : depuis trois ans, l'espérance de vie des Blancs non diplômés baisse aux États-Unis avec l'explosion des « despair deaths » dans les territoires marginalisés qui ne sont pas branchés sur la nouvelle économie.

Le neurochirurgien Marc Lévêque se désole dans *Le Monde* : « Le gouvernement américain dénombrait 67 114 morts par opioïdes prescrits en 2016 et près de 72 000 en 2017 soit l'équivalent d'un crash d'A380 tous les trois jours. Les sociologues se sont penchés sur cette hécatombe montrant que les "petits blancs non hispaniques", gueules cassées de la mondialisation, étaient les principales victimes. Un récent papier du JAMA démontre une superposition de la

1. *L'Homme inutile*, Odile Jacob, 2015.

cartographie du vote Trump et cette mortalité. On entrevoit ici les liens qu'entretiennent les maux de la mondialisation et la douleur chronique. Ces hommes devenus superflus à leur économie trouvent dans les tourments de leurs chairs une ultime raison d'exister. La massification du chômage – qu'engendrera le développement vertigineux de l'Intelligence Artificielle et de la robotisation – laisse présager d'un phénomène loin de son zénith. »

Les politiciens sauveront-ils les Gilets Jaunes ?

Le géographe Christophe Guilly décrit depuis des années les souffrances de la France périphérique. Il voit dans les Gilets Jaunes le signe d'une révolte de ce tiers pays qui n'intéresse pas les politiques. Il y a bien trois Frances : les gagnants de la nouvelle économie calfeutrés dans les Métropoles où se concentrent les entreprises liées à l'Intelligence Artificielle, les banlieues peuplées de communautés et la France périurbaine et rurale des « petits blancs » qui se sont auto-baptisés « Gilets Jaunes ». Emmanuel Macron doit son ascension aux gagnants du nouveau capitalisme cognitif ; c'est-à-dire l'économie de la connaissance, de l'IA et du big data. Les élites macronistes vivent un âge d'or mais elles profitent de l'économie de la connaissance sans se préoccuper du sort des classes moyennes et populaires. Les seuls groupes qui intéressent les politiques et les nouvelles élites sont les communautés et minorités et aucunement les Français moyens. Olivier Babeau s'emporte dans *L'Opinion* : « L'espace public est désormais saturé par des minorités aux mille revendications. Handicap, genre, ethnie, orientation sexuelle, choix alimentaire : ce sont les revendications particulières, assorties souvent d'une dimension victimaire qui en accentue la véhémence, qui accaparent les législateurs. Le politique gérait hier la grande masse des gens rentrant dans ce que l'on appelait la norme. Le politique devient gestionnaire de revendications particulières agrégées en syndicats d'intérêts. Leur mission est aujourd'hui de s'assurer que toutes les marges et tous les sentiments alternatifs sont respectés. » L'État s'intéresse plus au devenir des « véganes trans » que du pouvoir d'achat des « petit blancs périurbains » – sociologiquement proches des électeurs populaires de Trump – qui sont bousculés par la dynamique communautariste et choqués par la baisse de leur utilité. En effet, l'IA transforme l'organisation sociale en favorisant les élites intellectuelles et en affaiblissant le peuple mal préparé à la révolution technologique. Les écarts entre les Gilets Jaunes et la petite élite de l'IA – très mobile géographiquement et que l'on s'arrache sur le marché mondial des cerveaux – sont un puissant moteur populiste. En octobre 2018, 41 % des Français souhaiteraient un pouvoir autoritaire. Peu structuré, le mouvement des Gilets Jaunes va, sans doute, s'essouffler mais le désespoir des « petits blancs » est là pour durer dans tous les pays occidentaux. Ainsi, le Prix Nobel d'économie 2015, Angus Deaton, s'alarme de l'augmentation de la mortalité chez les « Blancs » américains peu diplômés. Hélas, la réponse des élites est inadaptée : se moquer des gilets jaunes qui sont rebaptisés beaufs, inutiles voire abrutis et se préparer à faire sécession. Les métropoles deviennent des citadelles et des projets d'îles artificielles ou de stations spatiales réservées aux puissants fleurissent dans la Silicon Valley. Cela dessine un futur à la « Elysium ». Ce serait le stade ultime de déclin de la démocratie : la séparation physique des « Gods and Useless » décrits par Yuval Harari. Les gagnants de l'économie de l'Intelligence Artificielle ont produit les gilets jaunes et, s'il n'y avait la démocratie, ils seraient prêts à les abandonner.

> Le *New York Times* du 18 novembre 2018 révèle que Yuval Harari s'est interrogé, lors de son passage dans la Silicon Valley, sur ce que les élites feront des inutiles : « Il y a un siècle... les élites ne pouvaient pas tuer les masses, parce qu'elles en avaient besoin. » Mais demain, avec les robots dotés d'IA capables de remplacer de nombreux groupes de travailleurs y compris les militaires, comment se comporteront les maîtres du capitalisme cognitif face aux « Useless » désespérés par leur inutilité ? Il interprète l'intérêt porté par les GAFA au revenu universel comme un moyen plus doux de traiter la question des « inutiles ». Selon le gourou israélien, la Silicon Valley pense implicitement : « Nous n'avons pas besoin de vous. Mais vous êtes gentils, alors on prendra soin de vous. »

Face à l'Europe, des continents décidés et conquérants sont en marche, remplissant le monde du fracas des bouleversements qu'ils provoquent. Les secousses telluriques vont se multiplier. Le XXIe siècle transforme tous les pays en zones sismiques. Il ne suffira pas que les individus en prennent conscience et s'y préparent. Les enjeux sont trop complexes, les facteurs trop imbriqués. Le défi est avant tout politique : les démocraties vont devoir prouver qu'elles sont capables d'apporter une réponse aux immenses questions qui se posent, et d'accompagner les populations vers l'avenir. Sinon, elles disparaîtront.

La principale tâche politique : réguler l'Homos Deus

Nous allons être saturés, parfois écœurés de technologie, mais il serait faux de penser que le futur sera technologique. Il sera politique. Le patron de Google explique fort bien que nous avons été naïfs d'imaginer que la technologie réglerait les problèmes de l'humanité.

La régulation de notre pouvoir technologique sera un exercice extrêmement complexe qui mobilisera de plus en plus d'êtres humains. La politique demain réunira les technocrates, les régulateurs et gestionnaires de la complexité et les savants. Ils devront s'unir pour donner une chance aux démocraties libérales de ne pas être englouties avec le vieux monde.

Des démocraties gouvernées par l'impuissance publique

La première urgence pour le politique est de comprendre la profonde crise dans laquelle le système représentatif est entré.

Nous n'avons pas les outils pour réguler des pouvoirs démiurgiques arrivés trop vite. Le décalage de rythme entre l'explosion technologique et la capacité d'évolution des institutions est un problème central de ce siècle. Pour le dire autrement : les politiques sont condamnés à être dans un continuel retard, donc en dissonance, avec les technologies. C'est la capacité même du politique à « piloter » la société qui est remise en cause. On ne conduit pas un paquebot en fond de cale.

Un monde Mikado

Le monde des Trente Glorieuses était relativement stable et simple. Les grandes règles qui présidaient aux équilibres géostratégiques étaient connues. Les technologies progressaient relativement lentement, et aucune, depuis la bombe atomique, ne venait remettre en cause profondément les règles du jeu.

Nous sommes entrés dans une nouvelle ère. Dans le monde instable des NBIC, bouger un détail peut avoir des conséquences majeures. Modifier l'encadrement de l'IA, la régulation des manipulations technologiques ou la surveillance des prothèses intracérébrales pourra changer notre modèle civilisationnel et avoir des répercussions incalculables.

Une loi adoptée aujourd'hui dans le désordre des discussions parlementaires et des petits arrangements politiciens peut avoir des répercussions immenses sur le long terme. C'est l'effet papillon au carré, provoqué par la vitesse de diffusion des technologies et les effets de cliquet qu'elles provoquent.

Les choix actuels nous engagent pour longtemps, et pourtant ils sont souvent faits dans une incompréhension profonde des enjeux, et en fonction de préoccupations de très court terme. Le défaut classique de la politique – l'incapacité à se projeter dans le temps long – est accentué.

Dans le monde Mikado dans lequel nous vivons, les problèmes sont interconnectés. Pour des politiques habitués à traiter les sujets en silo et de façon séquentielle, cela crée une bourrasque aveuglante où ils sont perdus.

Occupés à éviter l'explosion sociale qui menace en permanence, nos élus ne voient pas qu'ils ont perdu en réalité les leviers du pouvoir.

Absorbés dans le traitement des problèmes du passé et la communication au jour le jour, ils n'abordent pas le sujet le plus important du XXIe siècle : notre cerveau.

L'Intelligence Artificielle, c'est avant tout un problème de cerveau. Que fait-on de notre cerveau quand l'intelligence devient quasi gratuite ? Comment évite-t-on un monde ultra-inégalitaire ?

Dans un monde ultra-complexe, il sera difficile d'être un citoyen sans une compréhension du monde et donc sans de bonnes capacités cognitives.

L'IA est au cœur du drame planétaire qui se noue : le recul du pouvoir politique et l'ampleur du retard humain face à la machine sont proportionnels à la concentration de la puissance économique chez les géants du numérique.

Nous rentrons dans un monde où il y aura de moins en moins de différences entre l'humain et la machine, l'online et l'offline, le virtuel et le physique. Échapper à la technologie deviendra aussi difficile que d'échapper à la gravitation terrestre. Nous rentrons dans l'univers de la gouvernementalité algorithmique. Un mode de gouvernement inédit.

Les politiques occupent la scène mais ne font plus l'histoire

La campagne présidentielle française de 2017 a illustré une fois de plus le décalage entre les prétentions du politique et la cruelle réalité.

Pour les primaires aux deux tours de l'élection présidentielle, les médias ont orchestré une suite de suspenses avec un sens remarquable de la progression dramatique. La réalité est bien différente : pour paraphraser Hegel, ceux qui occupent la scène ne sont pas ceux qui font l'histoire.

Le vrai pouvoir sera de plus en plus entre les mains des géants du numérique américains et asiatiques et de leurs juvéniles créateurs. « Code is law », expliquait dès l'année 2000 Lawrence Lessig, professeur à Harvard. « Le logiciel dévore le monde », ajoutait en 2011 Marc Andreessen, le créateur de Mosaic et de Netscape, les deux premiers navigateurs Internet. Ces deux penseurs de la société digitale ont vite compris que les systèmes experts, dominés par ces géants, allaient contrôler tous les aspects de la vie des citoyens, y compris leurs rapports à la loi et à la politique.

Les règles essentielles qui structurent désormais notre économie et nos rapports sociaux émanent moins des Parlements que des plateformes numériques. L'activité fébrile des cabinets ministériels ne sert qu'à gérer les affaires courantes. Le code des plateformes numériques est la nouvelle loi, et nous ne faisons pas partie de ceux qui l'écrivent.

Que pèsent nos lois sur les médias par rapport aux règles de filtrage établies par Google et Facebook qui sont devenus « les châteaux d'eau médiatiques » du monde ? Que pèse le droit de la concurrence face à l'IA d'Amazon ? Que pèsera demain le code de la santé publique face aux algorithmes de DeepMind-Google, Amazon ou de Baidu, qui seront incontournables en IA médicale ?

Le protectionnisme est voué à l'échec : personne n'acceptera en 2030 de devoir passer par son cancérologue local avec 70 % seulement de chance de survie pour son enfant leucémique si l'IA de Google, Alibaba ou Amazon apporte 95 % de taux de guérison.

Les décisions majeures qui vont déterminer le destin de notre monde dans vingt ou cinquante ans se prennent dans les bureaux de la Silicon Valley et non sous les lambris dorés de l'Élysée : qui sera le maître de la donnée et des machines ? Jusqu'à quel point l'humanité sera-t-elle transformée par les machines ? Comment formerons-nous demain les humains utiles car complémentaires de l'IA ? Comment profiter du formidable potentiel des IA tout en régulant leurs excès ?

L'État sert aujourd'hui avant tout à assurer l'ordre public et à redistribuer pour compenser tant bien que mal le décrochage d'une partie de la population. Il n'indique pas de cap et ne décide pas l'avenir, mais s'efforce de jouer la voiture-balai pour les perdants de la mondialisation.

L'IA est et restera une boîte noire

Les systèmes d'IA sont très difficiles à auditer : les poids et les comportements des différents neurones virtuels – il y en a souvent près d'un milliard – changent comme nos neurones biologiques changent de comportement en fonction de l'expérience et de l'environnement. Contrairement aux algorithmes « à la papa » qui comportent peu de branches et sont imprimables, évaluables et auditables, une IA est un système trop complexe pour être analysé par des méthodes traditionnelles.

En réalité, nos relations avec l'IA ressemblent à celle de l'aveugle avec son chien. L'aveugle est plus intelligent que son labrador mais il lui délègue le choix de l'itinéraire. Nous ferons la même chose avec l'IA faible, moins intelligente que nous, mais qui voit dans le brouillard du big data où nous sommes aveuglés au milieu des montagnes de données[1].

1. Cette métaphore est une idée de mon fils, Thomas Alexandre.

Le Premier ministre de Singapour touche 1 700 000 dollars par an

Un politicien qui ne maîtrise pas l'IA – ou qui pense encore que l'IA est un programme informatique banal – va devenir un danger public, une machine à attiser le populisme parce qu'il n'aura aucune prise sur le réel. La puissance publique n'a pas pris la mesure de la révolution en cours. La loi va devoir se réinventer pour encadrer l'IA et donc notre vie. La gouvernance, la régulation et la police des plateformes d'IA vont devenir l'essentiel du travail parlementaire. Cela suppose que les parlementaires comprennent que la vraie loi est produite par l'IA des géants du numérique, que leur rôle est d'encadrer ces derniers et qu'un bon parlementaire est nécessairement un bon connaisseur de l'IA.

Le startupeur Bruno Walther explique : « Attention à l'hubris réglementaire qui est la marque de fabrique du gouvernement. Réguler, même si en l'occurrence chacun comprend que derrière les projets du gouvernement se profile toujours la peur du grand méchant GAFA, est sans doute nécessaire. Il ne faut pas que cette régulation soit une énième usine à gaz à la complexité inouïe qui en réalité desservira l'écosystème de l'IA naissant et paradoxalement renforcera les grands acteurs capables de trouver un chemin dans les réglementations kafkaïennes quand les petits acteurs se trouveront eux démunis. »

Notre État doit faire sa révolution face au numérique. Il doit créer des régulations intelligentes et ouvertes qui soient autre chose que des lignes Maginot protégeant les acteurs historiques. Son fonctionnement et ses institutions sont à revoir. C'est un véritable « Vatican 2 » de l'État qu'il faut entreprendre. La nullité technologique des politiciens est devenue intenable.

En attendant, le décalage de la politique par rapport à la marche du monde creuse la tombe de la démocratie : la nullité technologique des politiciens est devenue intenable.

La question politique centrale du XXe siècle était de savoir quelle était la part de notre vie qui était contrôlée par l'État et ce qui restait au marché. Avec l'IA la nature du débat politique change radicalement. Dans quelles limites doit-on confier nos existences et en laisser le contrôle aux géants de l'IA ?

Faudra-t-il des ministres aussi bien payés qu'à Singapour pour gérer ces enjeux ?

La démocratie plus fragile que jamais

On pensait la démocratie gagnante de l'Histoire, point d'arrivée inévitable de la marche des civilisations. Voici à présent qu'elle recule contre toute attente. Nous apprenons que l'histoire n'était pas linéaire mais bien cyclique.

Si nous ne savons pas l'enrayer à temps, la mort de la démocratie semble au bout du chemin.

Les élites ne sont pour l'instant d'aucun secours. Elles défendent notamment une immigration toujours plus forte au nom des bons sentiments humanistes. Lecteurs de *The Economist*, de *Foreign Affairs* et du

Financial Times nous considérons – ce qui est macroéconomiquement vrai – que l'immigration favorise la croissance et ne nuit pas à l'emploi... Le petit peuple exprime de moins en moins timidement ses craintes identitaires mais les élites sont aveugles. Il est vrai qu'au café de Flore, la burqa est rarement un problème.

Autre exemple, les bobos de gauche et de droite contournent massivement la carte scolaire. *Libération* adore les « no borders » mais pas la réalité de la mixité... Le journal a fait un dossier attendri sur les gens de gauche qui pensent que la mixité scolaire est magnifique mais serait catastrophique pour leurs enfants : elle risquerait de les empêcher d'intégrer une bonne khâgne, sésame pour atterrir à Normale Sup – rue d'Ulm bien sûr. Pour beaucoup d'autres, faire ses études en France n'est même plus une option. Londres ou une université américaine, avec une ou plusieurs années passées à Shanghai, devient le *cursus honorum* préféré. On applaudit la mixité scolaire et on défend la grandeur de l'université française avec des trémolos dans la voix, mais on préfère voir ses enfants au MIT, à Cambridge ou à Stanford.

La révolution de l'IA favorise les élites intellectuelles et affaiblit le peuple mal préparé à l'économie du big data. Mais les élites refusent de l'admettre. Le *Financial Times* révèle le 16 juin 2018 que Google a franchi la barre des 100 millions de dollars de bonus pour un seul ingénieur talentueux. À défaut d'être souhaitable et réjouissante, cette évolution est logique : nous sommes entrés dans la société de la connaissance qui donne une prime considérable aux individus qui possèdent de grandes capacités intellectuelles. Dans « le capitalisme cognitif » qui commence, les cerveaux biologiques capables de manager, organiser et réguler les IA valent chaque jour plus cher. Le capitalisme de la connaissance génère mécaniquement des inégalités croissantes alors que le but de l'économie est de diminuer les inégalités, ce qui passerait par la réduction des inégalités intellectuelles davantage que par la fiscalité. Les élites font semblant de croire que l'école va supprimer les inégalités neuro-génétiques d'un claquement de doigt.

Face à notre perte de vitesse économique, nous découvrons avec stupéfaction que des pays autoritaires offrent plus de sécurité, une meilleure école et un niveau de vie supérieur. Le jour où les Français comprendront que les habitants de Singapour ont le double de leur niveau de vie… ils demanderont des comptes à la classe politique. Bien sûr, la haute bourgeoisie préfère la démocratie libérale… mais les électeurs de Mélenchon et de Le Pen préféreront – hélas – un régime fort qui mise tout sur la science et leur donnerait un haut niveau de vie et de sécurité !

La démocratie Internet avec ses réseaux sociaux ne conduit pas à la félicité universelle mais au règne de la démagogie orchestrée par les trolls. Internet n'est pas un outil de clarification du débat politique, au contraire : il accentue la perte de repères des électeurs. Signe qui ne trompe pas : le complotisme prospère.

La montée en puissance de tribuns du peuple et démagogues est spectaculaire. L'État de droit est fragile et menacé de toutes parts. Alors que le monde est plus complexe que jamais, les enjeux scientifiques et technologiques vertigineux se mêlant à ceux de l'économie et de la société, notre démocratie connaît un retour des mécanismes d'expression directe qui en menace le fragile équilibre. La crise des gilets jaunes est le premier exemple de cette mutation : le mouvement est piloté par une poignée d'administrateurs Facebook. Les citoyens occidentaux sont mal armés pour résister aux sirènes des vendeurs de solutions miracles.

La vérité en danger

Le réel est en danger de mort. La montée en puissance des fake news et autres faits alternatifs chers à l'administration Trump est grave mais ce n'est pas une nouveauté. Joseph Goebbels expliquait avec gourmandise au lendemain de l'incendie du Reichstag en 1933 « Plus le mensonge est gros, plus il passe. Plus souvent il est répété, plus le peuple le croit ». Le titre du plus fanatique des ministres de Hitler « ministre de la Propagande » indique le peu de cas que le Reich faisait de la vérité.

Internet est magique mais il permet aussi le sabotage intellectuel de la raison scientifique. Nous vivons deux évolutions contradictoires : l'explosion du savoir disponible notamment grâce à Google et le rejet de la science et de la raison. L'idée sur laquelle l'accessibilité de la connaissance mondiale allait favoriser la raison scientifique s'est révélée fausse. Le savoir scientifique ne tient plus dans des articles scientifiques de quelques pages. Il faut faire le lien entre les publications scientifiques et les bases de données gigantesques qui ont permis les découvertes. Le savoir n'est plus fait de briques isolées mais il est directement lié aux immenses bases de données et aux IA qui ont permis leur interprétation. Le savoir n'existe qu'à l'intérieur du web et des IA.

La conjonction des technologies NBIC va changer radicalement le rapport au réel. Dans les siècles qui viennent, les souvenirs pourront être manipulés directement dans les cerveaux humains. De quoi donner un nouvel élan aux sinistres mouvements « conspirationnistes » qui contestent les vérités les plus établies, de la Shoah à la conquête de la Lune. On imagine avec effroi ce que Staline, Mao, Pol Pot ou Hitler auraient fait s'ils avaient disposé des technologies NBIC[1]. Le goulag aurait reprogrammé les cerveaux : l'Homo sovieticus serait devenu une réalité irréversible et la Perestroïka n'aurait jamais vu le jour.

Depuis la nuit des temps, le journaliste 1.0 va chercher l'information à la source, la valide, la synthétise et lui donne du sens. Depuis 1995, le journaliste 2.0 devient un éditeur numérique qui ordonne un réseau d'informations sur le web. Il jardine les liens hypertexte et il modère des communautés électroniques de plus en plus complexes et volatiles. Il met en forme des bases de données tellement gigantesques que bientôt seule

1. Au XXe siècle, Staline et Mao, ne disposant que de techniques rudimentaires, faisaient retoucher les photos où ils apparaissaient avec des compagnons de route qu'ils avaient fait exécuter.

l'Intelligence Artificielle pourra assimiler. Demain, le journaliste 3.0 va devenir le garant du réel et un créateur de sens à l'heure des neurotechnologies.

L'IA ouvre une fenêtre sur notre cerveau

Les géants du numérique ont des ambitions neurotechnologiques révolutionnaires. Ray Kurzweil a déclaré que nous utiliserions des nanorobots intracérébraux branchés sur nos neurones pour nous connecter à Internet vers 2035. Google pourrait ainsi franchir une nouvelle étape dans la maîtrise des cerveaux. « Dans environ quinze ans, Google fournira des réponses à vos questions avant même que vous ne les posiez. Google vous connaîtra mieux que votre compagne ou compagnon, mieux que vous-même probablement », a fièrement déclaré Ray Kurzweil.

Le neuro-hacking, c'est-à-dire la manipulation de notre cerveau grâce aux technologies NBIC, peut apporter le meilleur : réduire les inégalités intellectuelles et éviter notre marginalisation face à l'Intelligence Artificielle, échanger directement de cerveau à cerveau avec tous les humains et les ordinateurs ou encore nous apporter des expériences intellectuelles absolument inédites. Il peut aussi conduire au pire : implantation de faux souvenirs, police de la pensée, neurodictature… Le décryptage et la manipulation de nos cerveaux, par exemple en implantant un souvenir artificiel, peuvent devenir une arme fatale au service d'une ambition totalitaire. C'est une menace absolument inédite contre l'homme et la liberté. La police de la pensée sera technologiquement prête dans quelques décennies. L'ultime frontière de la domination des dictatures – l'esprit humain –, jusque-là maladroitement contrôlée au moyen de la propagande, serait pulvérisée : des traitements en masse des cerveaux des populations garantiraient leur soumission.

Le 23 octobre 2016, Reed Hastings, le patron de Netflix, a expliqué lors d'une conférence que son objectif était à terme de remplacer la location de films numériques par la vente de pilules faisant vivre le film au consommateur. Netflix évoluerait vers le business model de *Total recall*, film de science-fiction où Schwarzenegger vit une expérience martienne grâce à une neuro-manipulation.

Puisque les neurotechnologies vont profondément perturber notre rapport au réel, les journalistes, dont le rôle est de chercher le vrai, sont un maillon essentiel de la société du XXIe siècle. Demain, ils seront des acteurs essentiels de la neuro-éthique en garantissant la réalité. Il faudra aider le citoyen à séparer le réel, la réalité virtuelle, la réalité filtrée par Google et Facebook, les idées et souvenirs implantés par voie chimique ou électronique. Les journalistes nous protégeront des neuromanipulateurs. Ils feront partie d'un ensemble de professions qui authentifieront le réel avec les neuroethiciens, les juristes de la réalité virtuelle et les régulateurs de prothèses cérébrales. La démocratie suppose que les citoyens partagent la même réalité !

En 1995, les journalistes, qui auraient dû être les vigies du futur, se sont révélés handicapés du mulot comme les hommes politiques, ce qui a entraîné leur paupérisation et leur marginalisation. En 2020, ils doivent réussir leur mutation vers la certification du réel et donc de la protection de nos cerveaux, c'est-à-dire de notre identité.

Qui gouvernera un monde de zombis drogués à la réalité virtuelle ?

Les bouleversements économiques ne sont qu'un aspect presque mineur du basculement du pouvoir. La vraie prise de pouvoir, on le sait, est celle des esprits. En ce domaine aussi le politique est en train de perdre pied. Les pauvres techniques de propagande mises au point par le marketing et les régimes totalitaires du XXe siècle vont faire pâle figure à côté des capacités de prise de contrôle de nos cerveaux, développées par les géants numériques.

La soif infinie de technologie : une addiction planétaire

Depuis l'invention du transistor électronique en 1947, nous sommes devenus de plus en plus dépendants de la technologie.

Le développement de la réalité virtuelle va accentuer cette immersion dans un monde irréel et magique qui deviendra une drogue ultra-addictive. « Nous nous fixons un objectif : nous voulons attirer un milliard de personnes vers la réalité virtuelle », a déclaré Mark Zuckerberg président de Facebook à l'occasion de la présentation de son nouveau casque « Oculus Connect » le 11 octobre 2017. Les IA associées à la réalité virtuelle, même si elles ne seront pas dotées de consciences artificielles, pourront nous dire à tout moment ce qui est bon pour notre santé, ce qui maximisera notre jouissance et nous indiquer ce que nous devons faire. Nous ferons tellement confiance à ces algorithmes que nous leur déléguerons la décision.

L'Homme-Dieu immergé dans la réalité virtuelle dont parle Harari bouleverse la politique : « Les individus s'habitueront à se voir comme un assemblage de mécanismes biochimiques constamment surveillé et guidé par un réseau d'algorithmes électroniques. Des habitudes du monde libéral comme les élections démocratiques deviendront obsolètes, puisque Google sera en mesure de mieux représenter mes opinions politiques que moi-même. » Nous entrons dans un monde magique où nos désirs seront anticipés par les IA qui peupleront nos appareils connectés. Le principe même de la démocratie, permettre au peuple de prendre les décisions allant dans le sens de ses préférences, n'aura plus d'objet. Harari a récemment affirmé que nos données vont alimenter le fascisme.

Le vrai pouvoir sera concentré dans les mains d'une élite maîtresse des IA.

Simultanément, la mutation de beaucoup de métiers créerait une énorme classe de personnes inutiles économiquement et intellectuellement dépassées. Symptôme prémonitoire de cette évolution, 17 % des jeunes Français, entre quinze et vingt-neuf ans, sont déjà des

NEETs (*young people Not in Education, Employment, or Training*). Ces citoyens confieront le sens de leur existence aux algorithmes. La vision d'Harari est un cauchemar politique qu'il intitule de façon bien peu politiquement correcte : « Gods and useless ». La réponse ne peut être : les jobs aux robots, les loisirs aux hommes. Il faudra, bien sûr, une nouvelle protection sociale pour accompagner des mutations technologiques foudroyantes. En revanche, un revenu d'assistance universel et permanent accentuerait la marginalisation des « Useless » de Harari. L'absence d'effort intellectuel dégrade rapidement la neuroplasticité, c'est-à-dire la capacité du cerveau à produire des connexions synaptiques et donc à apprendre.

Ce monde où l'IA finance le revenu universel pour nous permettre de vivre une existence sans effort pourrait rapidement « atrophier » nos cerveaux. Aux gens qui seront bousculés par le choc technologique, nous devons donner un droit à la formation tout au long de la vie et non des allocations à vie. Ce n'est pas le revenu qui doit être universel mais le développement du cerveau ! Il faut tout faire pour empêcher la création d'une aristocratie de l'intelligence manipulant les « Inutiles de Harari » enfermés dans un monde magique et virtuel.

IA : la drogue ultra dure de 2040

La réalité virtuelle nous envoûtera car l'IA saura exactement comment fasciner notre cerveau et le maintenir sous sa coupe.

L'IA faible, bien qu'inconsciente, est déjà révolutionnaire. Thierry Berthier et Olivier Kempf, les meilleurs spécialistes français des IA militaires, ont récemment montré comment des IA faibles pourraient, sans savoir qu'elles existent, déclencher une guerre. L'histoire récente du jeu de Go montre qu'une IA faible est désormais capable de création. Et les progrès de l'IA se sont encore accélérés. Dans la toute nouvelle version présentée par Google le 18 octobre 2017, « AlphaGo Zero », on donne simplement les règles de jeu au programme qui s'entraîne contre lui-même. AlphaGo n'utilise pas de connaissances préalables mais crée son analyse ex nihilo. AlphaGo avait examiné des centaines de milliers de parties pendant plusieurs mois : la nouvelle version a atteint le niveau d'un humain en quelques heures, après quelques jours d'auto-formation, l'AlphaGo Zero a terrassé, par 100 à 0, la version qui avait vaincu le champion du monde. Ainsi, le jeu de Go est désormais magnifiquement compris par une IA en quelques jours, alors que les humains bénéficiaient de 3 000 ans d'expérience. Comme le dit fort justement Yann Le Cun, le patron de l'IA chez Facebook : « Nous allons vite nous apercevoir que l'intelligence humaine est limitée. »

La prochaine blessure narcissique concernera les artistes et notamment les musiciens. L'IA va nous transformer en nous faisant découvrir de nouvelles formes de pensée et d'art. L'IA pourrait créer une musique qui produirait une extase à mille lieues de la personnalisation des playlists par Spotify ou Apple Music. L'IA deviendra notre pourvoyeur de drogues dures en créant un art personnalisé en fonction de nos caractéristiques génétiques et cognitives qu'elle connaîtra mieux que quiconque. Ainsi, les IA faibles vont devenir les plus grands artistes que l'humanité ait connus. Sans savoir qu'elles existent, ce qu'elles font, ni ce qu'est l'art. Ces productions artistiques pourraient devenir un terrible instrument de manipulation : aux mains d'humains pervers et manipulateurs, ou plus tard, d'IA fortes voulant asservir notre espèce. Consciente ou pas, l'IA musicale sera une drogue plus violente que l'héroïne !

La drogue dure du XXIe siècle sera l'IA, et ses dealers auront pignon sur rue. Ce seront eux qui vous vendront vos produits de consommation courante, mais aussi tous les services, de l'assurance à la banque en passant par la sécurité et la santé. Service ultime : ils vous vendront du bonheur.

Manuel express de neuropolitique

L'État est-il une institution obsolète, dépassée par les immenses pouvoirs des maîtres de l'IA ? Le système politique est-il voué à une privatisation complète, à l'exception d'un mince squelette de protection qui jouera les voitures-balais de la mondialisation ? Quel conseil doit-on donner à un homme politique aujourd'hui ?

D'abord, il est essentiel de comprendre les mécanismes par lesquels les nouvelles technologies déplacent le pouvoir. Nos élus ont désormais l'obligation d'être des geeks, de se passionner pour les innovations et d'étudier leur fonctionnement et leur impact.

Il faut comprendre que la puissance des GAFA et BATX vient de leur capacité à créer ce cercle vertueux où l'accumulation de données permet de fournir les meilleurs services et donc d'attirer la masse de gens nécessaires à l'accumulation de données. La notion de vie privée est en opposition directe avec leurs modèles d'affaires : c'est de la connaissance la plus large possible de chacun de nous, via le recoupement des données, qu'ils tirent leur puissance. Les IA vont avoir un rôle important dans la définition du pouvoir, de la liberté et de la démocratie mais également de la justice sociale. Le fondateur du web Berners-Lee expliquait : « Nous sommes des ingénieurs philosophiques. » Au XXIe siècle, le digital devient la politique.

Il faut comprendre que dans un monde où les données se multiplient et nous submergent, nous n'allons plus pouvoir nous passer des outils d'Intelligence Artificielle pour leur donner du sens. On estime qu'en 2025, chaque être humain produira 100 milliards d'informations chaque jour. La politique a toujours étroitement dépendu de la façon dont nous stockons, analysons et partageons l'information. Le changement radical dans le management de l'information à l'ère de

l'IA conduira forcément à des changements politiques majeurs.

Il faut comprendre que demain tous les services fondamentaux passeront nécessairement par l'utilisation d'une IA, ce qui crée notre dépendance à ceux qui la détiendront.

Il faut comprendre que la guerre du futur se jouera sur la maîtrise des robots et de l'IA. Ne pas posséder d'IA dans vingt ans nous rendra comparables aux cavaliers polonais chargeant à la lance les chars allemands.

Il faut comprendre que nous ne pouvons pas nous satisfaire d'une réglementation précautionniste hyperconservatrice quand autour de nous les grandes puissances sont entièrement décomplexées. L'idée que l'Europe pourrait devenir une sorte de Suisse du monde en affichant une neutralité innocente est séduisante, mais irréaliste. Nous sommes trop importants, nos marchés sont trop intéressants pour que les hyperpuissances nous laissent tranquilles. L'invasion et la prise de pouvoir auront lieu si nous ne réagissons pas. On ne peut pas compter sur la bienveillance de nos ennemis.

Il faut comprendre que la démocratie est désormais un challenger dans la compétition entre régimes, et non un vainqueur naturel. Que les régimes autoritaires ont pour eux l'efficacité, la rapidité, et bientôt l'adhésion inconditionnelle des foules. Telle est la malédiction de la démocratie : le peuple, bientôt, sera las d'être libre. Il rêve de se charger de chaînes et d'en confier les clés au premier charlatan venu.

Il faut comprendre que les autres pays ne nous veulent pas du bien. Que le plan officiel de la Chine est de devenir le maître du monde grâce à l'IA. Quittons notre approche moralisante et bien-pensante. Arrêtons de confondre devoir-être et réalité. La question du « devrait » n'a aucun intérêt. Il faut se préoccuper de ce qui est, pas de ce qui devrait. Ce qui est, c'est que nous n'avons aucune vision de ces sujets en Europe, et que les États-Unis et la Chine constituent un duopole technologique mondial. Nous sommes en train de nous battre avec les USA sur des sujets d'importance secondaire, l'Union européenne est un enfant de chœur en technologie, tandis que la Chine a un plan à cinquante ans pour devenir la première puissance mondiale. Peut-être échouera-t-elle, peut-être connaîtra-t-elle à nouveau une fragmentation de l'État. Toutefois, c'est aujourd'hui le seul pays au monde à avoir un plan de long terme pour nous duper. C'est un plan très centralisé, qui implique toute la société civile chinoise, incroyablement favorable à toutes ces technologies.

Il faut comprendre que l'épicentre de l'innovation est désormais en Chine. La Californie est encore en avance, mais pour combien de temps ? La Chine galope plus vite, et la Californie n'a guère plus de cinq ans d'avance. Et surtout, les acteurs américains sont beaucoup plus divisés : les GAFA vont chacun dans leur sens, l'administration américaine est devenue chaotique, il n'y a pas de plan. A contrario, la Chine de Xi Jinping a un plan structuré et un objectif clair : nous dépasser. On ne peut qu'être frappé par le contraste.

Il faut comprendre que la technologie est la philosophie du XXIe siècle. Toutes les questions philosophiques tournent autour de la technologie. Malheureusement, les philosophes se posent les mêmes questions depuis cinquante ans.

Il faut comprendre que la convergence de l'IA et des sciences du cerveau pose d'immenses questions. Comme l'explique le créateur d'AlphaGo, être expert en IA sans être spécialiste des neurosciences est bien difficile. L'interpénétration de l'IA avec nos cerveaux fait émerger une économie de la manipulation.

Ce n'est pas un problème économique, c'est un problème de modèle de société. Quel est le modèle de société quand tout le monde est augmenté, avec une cassure générationnelle parce qu'il sera plus facile d'augmenter un bébé qu'un vieillard ? Que devient la société quand on peut atteindre un niveau d'intelligence qui nous semble aujourd'hui inimaginable ? Dans l'hypothèse où Son Masayoshi, dirigeant de Softbank, parvient à développer son robot à 10 000 de QI, comment pourrait-il en garder le contrôle et vers quel modèle de société nous conduit-il ? Comment ce robot pourra-t-il nous voir autrement que comme des fourmis, ou des esclaves ?

Sauver les naufragés du numérique

Réduire les inégalités cognitives doit être l'obsession de l'État. On parle souvent de la nécessité pour l'État de se concentrer sur ses tâches régaliennes, comme la justice et la défense. C'est aujourd'hui une idée obsolète. Le nouveau régalien, c'est la protection contre les inégalités cognitives. Les combattre est la vraie vocation de l'État demain.

Les élites intellectuelles ont abandonné des pans entiers de la population qui sont de plus en plus marginalisés : il est tout juste temps de sauver les naufragés[1] du numérique.

Au XXIe siècle, la réduction des inégalités ne se fera plus par la fiscalité, mais par l'amélioration cognitive : le Piketty du futur sera neurobiologiste et non fiscaliste ! Si l'école ne démocratise pas rapidement l'intelligence biologique, en utilisant tout le potentiel des sciences du cerveau, nous aurons un *apartheid* intellectuel puis une révolution. Les neuro-conservateurs qui refusent, au nom des bons sentiments humanistes, l'utilisation des neurosciences pour réduire les inégalités intellectuelles, nous conduisent à une situation révolutionnaire.

La neurorévolution sera comparable à la Révolution française. Là où 1789 était une révolution bourgeoise dirigée contre les privilèges de la naissance, la neurorévolution marquera l'abolition des privilèges de l'intelligence. L'école aura beau utiliser les meilleurs logiciels personnalisés, elle ne pourra plus nous apprendre assez pour que nous soyons, avec notre état biologique actuel, en situation de rivaliser avec l'IA. Il n'y aura qu'une solution : une montée en puissance radicale de notre cerveau en utilisant tout le potentiel des NBIC. La personnalisation de l'enseignement grâce aux neurosciences n'aura

1. Jacques Toubon, le défenseur des droits, craint que 20 à 25 % de la population française soit handicapée par la e-administration et la dématérialisation des « papiers administratifs ».

été qu'un premier stade de la mutation de la façon dont l'humanité organise la transmission de l'intellect. La neuroéducation ne sera plus seulement une méthode scientifique pour mieux apprendre, elle s'enrichira d'un nouveau volet d'action : la neuro-augmentation. Il va devenir possible d'augmenter l'intelligence non pas en jouant sur l'environnement – l'apprentissage –, mais en agissant soit en amont de la naissance, soit directement sur la machine cognitive qu'est le cerveau lui-même. L'école deviendra alors transhumaniste et trouvera normal de modifier le cerveau des élèves en utilisant toute la panoplie des technologies NBIC. L'État lui-même doit devenir un manager des intelligences et assurer une cohabitation harmonieuse entre les cerveaux faits de silicium et nos cerveaux biologiques. L'intelligence est désormais la clé de tous les pouvoirs et la politique tout entière sera bientôt tournée vers la gestion des intelligences.

Le XXIe siècle sera tout sauf un long fleuve tranquille. La volonté impérialiste de la Chine et des géants du numérique va créer des cassures extrêmement fortes. À l'ère de l'IA et de la robotique, et contrairement aux siècles passés, le besoin des élites en gens moins doués est plus faible. Que faire de ceux qui n'ont pas une intelligence conceptuelle forte ? Comment évite-t-on que les élites génèrent des inégalités insupportables ? Comment contrôler, gérer, organiser les neuro-technologies d'augmentation ? Nous n'avons pas le début d'une réponse sur toutes ces questions. L'irruption des NBIC débouche sur des interrogations philosophiques totalement inédites.

De l'État-providence à la neuropolitique

Le 9 novembre 2017, le ministre de l'Économie a tweeté : « Je propose que l'Europe crée le champion de l'Intelligence Artificielle que les autres pays nous envieront ! » Ce tweet traduit une réalité bouleversante : Bercy ne comprend toujours rien à l'Intelligence Artificielle, source de tous les pouvoirs au XXIe siècle.

La réalité est que l'Europe ne maîtrise aujourd'hui aucune des composantes de l'IA, dont l'industrialisation repose sur le mariage entre la puissance des ordinateurs, les montagnes de données du big data et les réseaux de neurones du deep learning.

Aujourd'hui, nous n'avons plus le temps de gâcher nos rares atouts à cause d'élites ignorantes des technologies. La Chine et la Californie ont gagné la guerre numérique sans tirer une seule balle parce que les Européens et les Français au premier chef ont été nuls. Il faut changer le logiciel de Bercy : l'IA ne se bâtira pas comme une ligne de TGV ! Pendant que Bercy rêve de châteaux en Espagne, nous devenons une colonie numérique des géants de l'IA qui prospèrent sans concurrence grâce à notre inertie.

Il faut nous ressaisir, et entreprendre la courageuse modernisation de nos institutions. L'État-providence du XXIe siècle ne sera plus un créateur de guichets en tous genres. Le défi de l'Europe au XXIe siècle est de passer du capitalisme industriel hérité de la révolution industrielle au capitalisme cognitif. La création de valeur sera orientée à partir des cerveaux. La production de la matière grise et la mise en commun de cette ressource seront la grande affaire du siècle. Tout notre système de formation doit être repensé pour satisfaire à cette exigence nouvelle. L'école doit être mise sous le signe de l'efficacité de la transmission de connaissances, ce qui revient à la soumettre aux neurosciences.

L'État-providence devra aussi décider s'il veut laisser libre cours aux addictions numériques massives, qui risquent de transformer une partie de la population en légumes branchés sur la réalité virtuelle, ou bien assumer de réguler les addictions. La frontière entre l'illusion et la réalité va devenir de plus en plus floue. L'IA permet de créer des environnements ultra immersifs capables dans quelques années de tromper intégralement tous nos sens. Demain, le branchement à la réalité virtuelle sera peut-être aussi taxé et encadré que le tabac. Les salles de shoot numérique seront tenues par l'État, intensément contrôlées. On tirera les gens de force dans la réalité en leur imposant des stages de déconnexion dans la nature à intervalle régulier. La « reality rehab » a de beaux jours devant elle.

Un pacte avec le diable ?

Le mode de relation avec les GAFA est une autre question fondamentale qu'il faudra traiter. La plus difficile sans doute.

Devra-t-on s'allier avec eux pour garantir notre cybersécurité, en formant une sorte d'OTAN numérique contre les dangers venus de l'Est ? Devra-t-on traiter les GAFA comme des organisations politiques à part entière, en leur envoyant, comme l'a fait le Danemark, un ambassadeur ? Alors que notre obsession est pour l'instant de parvenir à intercepter une partie de leurs immenses bénéfices via une introuvable martingale de taxation, nous devrions en réalité passer au stade suivant : celui de l'alliance.

La nécessité de s'allier aux GAFA peut sembler paradoxale si l'on pense aux nombreuses critiques formulées plus haut. Quoi, diront les lecteurs, après avoir si précisément montré la prise de pouvoir subreptice accomplie par les géants du web, la solution serait de les embrasser ? C'est en effet la seule solution. Il est illusoire d'imaginer que nous puissions rattraper notre retard et nous affranchir de la dépendance à l'IA étrangère. Choisissons au moins nos maîtres, et rapprochons-nous de ceux d'outre-Atlantique pour ne pas tomber sous la coupe de ceux de l'Orient. Nous n'avons absolument aucune chance de freiner la guerre technologique. Choisissons donc un camp et faisons de la Realpolitik au lieu de continuer à fantasmer notre puissance ou à faire des cours de morale numérique à la terre entière.

Si l'Occident démantèle les GAFA, au moment où la Chine cajole ses champions en IA pour devenir la première puissance mondiale, il sera sage d'apprendre le mandarin à nos enfants…

Nous craignons le grand méchant GAFA, mais Harari s'alarme du fait que « les politiciens sont bien pires » que les maîtres de l'IA.

Incluons l'IA dans le périmètre de l'OTAN

Les GAFA sont déjà dans les faits les arbitres du vrai et du faux, de ce qui est montré et de ce qui est caché. Nous devons en faire nos alliés, entrer en dialogue avec eux, négocier le contrôle que les États peuvent continuer à exercer.

Nous devons nous doter d'élites technophiles ayant le sens de l'intérêt général mais libérées des logiques de corps et de la vénération pour la technostructure. Une anti-technocratie en somme dont l'obsession serait la simplification des processus et la libération des énergies.

L'IA est au cœur de la puissance militaire au XXIe siècle. L'Europe qui s'est exclue du leadership technologique a besoin d'être protégée : notre cybersécurité ne peut être assurée que par l'OTAN[1].

Ne nous y trompons pas : l'enjeu est tout simplement la capacité des démocraties libérales de se maintenir face aux démocratures et dictatures qui engrangent les succès. Le risque d'une dépendance aux GAFA est finalement tout à fait acceptable par rapport à celui, très certain, d'une sujétion à une Chine qui assume le contrôle social totalitaire.

---

1. Le *Financial Times* vient de révéler que la majorité des logiciels permettant de surfer anonymement sur Internet appartiennent à la Chine.

BILAN : COMMENT L'IA CREUSE LA TOMBE DE LA DÉMOCRATIE

La démocratie est résiliente, mais elle doit affronter aujourd'hui une multitude d'agressions simultanées et imprévues. Ni les politiciens, ni les intellectuels, ni les scientifiques n'ont anticipé toutes les conséquences de l'IA sur la démocratie. Et beaucoup ne les ont pas encore comprises.

L'IA menace la démocratie car elle sape ses principaux piliers : c'est aujourd'hui la capacité des institutions à indiquer une direction, à mener la marche du changement, à contrôler et contraindre les acteurs, à protéger les populations et à limiter les inégalités pour maintenir la cohésion sociale qui est gravement remise en cause.

Or un régime qui ne peut réaliser ces missions n'a aucune raison de survivre… En ce sens, la force du totalitarisme chinois s'oppose point à point aux caractéristiques de nos vieilles démocraties.

Vitesse foudroyante des technologies contre temps long du consensus

- La technologie va vite, trop vite. Le patron de Google s'est interrogé dans *The Guardian* : les humains souhaitent-ils que cela aille si vite ? Or la démocratie ne sait pas gérer les exponentielles. Son rythme est le temps long des consensus et de la marche normale des contre-pouvoirs. Pas celui de la décision éclair. L'apparition de technologies qui croissent de façon explosive déroute le monde politique. La désynchronisation entre technologie politique et IA crée des tensions politiques majeures. Par ailleurs, ces technologies exponentielles effraient et radicalisent les oppositions entre collapsologues et transhumanistes.
- Faire émerger l'âge de la rationalité collective où IA, cerveaux humains et politiques co-évolueront harmonieusement nécessitera des décennies de tâtonnements pendant lesquelles la démocratie sera très fragile.
- Le capitalisme doit être réinventé. Les mécanismes traditionnels de régulation économique – fiscalité, droit de la concurrence, droit des brevets... – ne fonctionnent plus à l'ère du capitalisme cognitif[1]. L'inadaptation de la fiscalité et du droit n'a pas

1. Le 17 novembre 2018, *The Economist* s'inquiète que les IA puissent comploter entre elles pour truquer la concurrence et augmenter les prix sans que les humains ne s'en rendent compte.

fini de s'aggraver. Ne sommes-nous pas encore à débattre de la meilleure façon de taxer les GAFA, alors qu'il s'agira dans le meilleur des cas de récupérer quelques miettes de leur festin ?

Violence des convictions contre vertige du doute

- L'IA va bouleverser en quelques étapes notre humanité en transformant notamment la fabrication de nos bébés. C'est potentiellement un changement de civilisation. L'opposition entre bioconservateurs et transhumanistes pourrait devenir violente. Elle va succéder à l'opposition gauche-droite en déstabilisant au passage l'échiquier politique pendant plusieurs décennies.
- Le risque d'hyperterrorisme[1] poussera à l'utilisation de l'IA pour surveiller la population en utilisant les mêmes procédés que l'appareil policier chinois. L'attentat du Bataclan a été préparé sur Facebook. La nécessité de contrôler les technologies hyperterroristes[2] rentrera de plus en plus en tension avec l'aspiration démocratique à la liberté.

1. Bill Gates estime qu'un nouveau virus pourrait tuer 30 millions d'êtres humains, la première année. Une équipe de chercheurs canadiens a réussi à fabriquer une souche du virus de la variole, en commandant via Internet des produits biologiques, avec un budget dérisoire. Or, la variole a tué des centaines de millions d'êtres humains et les souches virales seraient résistantes au stock de vaccins existants.

2. La puissance d'un iPhone se rapproche de la puissance du superordinateur de 2001 que le CEA a utilisé pour simuler la bombe atomique française...

Dans une civilisation qui abhorre le risque et veut tout contrôler, le choix entre sécurité et liberté sera vite fait.

Perceptions manipulées contre réalités floues

- La personnalisation ultrafine de la publicité grâce à l'IA a permis aux géants du numérique de capter une part croissante de la publicité : Google, Facebook et Amazon atteignent 86 % de la e-publicité aux États-Unis. Cela étouffe les médias traditionnels qui n'ont plus les moyens d'être les filtres et régulateurs démocratiques qu'ils étaient. Ceux qui se lancent dans la surenchère et polarisent le débat récoltent encore quelques miettes publicitaires. Dès lors, l'inégalité face au réel est grande. Seule une petite élite anglophone a accès à une information payante de grande qualité. Les lecteurs des grands médias anglo-saxons – *The Economist, New York Times, Financial Times, Foreign Affairs*… – bénéficient d'un regard différent sur le monde, ce qui aggrave le fossé entre élites et classes moyennes et populaires.
- Dans les démocraties, l'IA permet toutes les manipulations et fake news déstabilisatrices sur Internet, ce qui augmente l'hystérisation du débat. La violence politique est accentuée.
- La régulation des médias est parfaitement inadaptée au monde actuel dans lequel la communication est devenue parfaitement ajustable à

chaque individu, sans aucun contrôle institutionnel sérieux. Les médias permettaient hier de filtrer et d'expliquer les nouvelles du monde. Paradoxalement, ce travail de mise en forme nous manque. L'IA permet de personnaliser les messages délivrés à chaque individu, ce qui rend difficile le contrôle des manipulations politiques. Fake news, manipulations, bubble filters nécessitent des instruments nouveaux. Un État démocratique peut vérifier ce qui passe sur TF1, mais pas ce qui s'affiche de façon différenciée sur des millions d'écrans. Les gouvernements occidentaux se défaussent et souhaitent que les plateformes fassent la police : cela revient à nommer Mark Zuckerberg et les patrons de Google rédacteurs en chefs du monde. Faire des GAFA les « gatekeepers » des lois anti fake news c'est leur confier la définition de la vérité[1] ! La démocratie s'auto-ampute. L'accord annoncé le 12 novembre 2018 entre le président Macron et Marc Zuckerberg interpelle : qui va contrôler les modifications des algorithmes de Facebook demandées par le gouvernement français ? De minimes modifications du paramétrage des IA de Facebook ou de Google peuvent faire disparaître Jean-Luc Mélenchon ou Marine Le Pen dans l'anonymat. Plus généralement, les dirigeants

1. Mark Zuckerberg explique : « Un écureuil mourant dans votre cour peut être plus important pour vous à un moment donné que les gens mourants en Afrique. »

de Google expliquent depuis 20 ans qu'ils veulent organiser toute l'information du monde, ce qui est la promesse d'un immense pouvoir politique.

- La complexité de nos sociétés et la multiplication des canaux numériques permettent à de pseudo-experts de contester les vérités scientifiques les plus établies. Dans tous les pays occidentaux, un courant obscurantiste favorise une défiance généralisée de l'opinion. Le savoir est devenu trop vaste pour être connu : la connaissance humaine double tous les dix-huit mois. L'organisation de la recherche, sa compréhension par les politiciens et sa médiatisation vers le grand public sont dépassées face à une telle croissance. L'IA accroît le stock de connaissance beaucoup plus vite que le corps social ne peut l'absorber et le digérer. La fabrication de la vérité connaît une mutation extrêmement rapide qui déstabilise la démocratie.
- Les IA brouillent la frontière entre réel et irréel. Faux documents, vidéos parfaitement réalistes, « Environnements ultra immersifs » peuvent fausser le débat politique. Et ce n'est pas tout : dans le futur, les implants intracérébraux permettront de modifier les souvenirs ou de les extraire du cerveau. La neurodictature est une perspective qu'il faut malheureusement envisager. Ce serait une menace inédite contre la démocratie libérale, qui ne devra plus seulement se débattre avec la complexité de la réalité, mais aussi avec le foisonnement des réalités alternatives.

- Enfin, l'IA favorise la dictature en lui donnant des outils technologiques puissants. Le Web dopé à l'IA est devenu un allié majeur des régimes autoritaires. Les régimes autoritaires mettent à profit la puissance des réseaux sociaux en les transformant en formidables outils de propagande et de contrôle.

Apartheid cognitif contre inclusion sociale

- La classe politique fait semblant de croire que l'école et la formation professionnelle vont mettre à niveau la population face à l'IA. L'éducation est essentielle mais elle va beaucoup décevoir : elle peut apporter des savoirs et des savoir-faire mais elle n'a jamais démontré sa capacité à augmenter les capacités intellectuelles. Le déni des différences neuro-génétiques retarde la réflexion sur les moyens de réduire les inégalités intellectuelles et donc de renforcer la capacité de s'épanouir et d'être socialement utile dans une économie de la connaissance. Il faudrait investir autant dans la recherche en pédagogie que nous investissons dans la lutte contre le cancer pour commencer à réduire les inégalités intellectuelles. Nous en sommes loin.
- Il a fallu 150 ans après le début de la révolution industrielle pour mettre en place les institutions de l'État-providence et réguler l'économie industrielle, autrement dit une technique de diminution des inégalités économiques et sociales grâce

à l'impôt et la Sécurité sociale. Aujourd'hui, il n'existe toujours pas de technique pour réduire les inégalités intellectuelles qui sont les plus graves à l'ère du capitalisme cognitif induit par l'IA. Il est peu probable que la démocratie survive à de grandes inégalités intellectuelles.

- Puisque la démocratisation de l'intelligence biologique est en retard sur l'industrialisation de l'IA, beaucoup de gens sont des naufragés intellectuels. Il sera périlleux de gérer les inégalités croissantes dues au développement du capitalisme cognitif. Les neurotechs égalisatrices comme Neuralink de Musk sont immatures. Faudra-t-il accepter que les cerveaux de nos enfants soient demain made in Californie ou made in China en utilisant les technologies de personnalisation de l'éducation des géants du numérique – personne ne connaîtra mieux nos cerveaux que les GAFA et les BATX ? Ou bien bloquer la neuroéducation, au risque de laisser des millions de gens sur le bord de la route ?
- L'IA dévalorise à toute allure les savoir-faire existants. Le slogan « il faut, au XXIe siècle, changer de métier tous les cinq à sept ans pour s'adapter aux changements économiques induits par l'IA » est terriblement anxiogène pour les classes populaires et favorise les partis populistes et extrêmes.
- Les classes moyennes risquent d'être impactées et déqualifiées par l'IA. Or, leur loyauté est un fondement essentiel de toute démocratie. Le grand expert de l'IA, Kai Fu Lee, décrit le médecin de

2030 : 1/3 assistante sociale, 1/3 infirmière et 1/3 technicien. Un avenir peu enthousiasmant pour des « Bac plus 10 ». Désemparées, les classes moyennes déchues deviendront violentes... au moins dans les urnes.

- Le management et la régulation de l'IA exigent un nombre croissant de « cerveaux ». On estime qu'il manquera 85 millions de travailleurs « ultra-qualifiés » en 2035. Les écarts entre la petite élite de l'IA – très mobile géographiquement et que l'on s'arrachera sur le marché mondial des cerveaux – et le reste de la population seront un aiguillon supplémentaire du populisme.
- Comme il est plus facile de développer une IA remplaçant un salarié du tertiaire qu'un ouvrier, les pays désindustrialisés comme la France ou les USA seront plus gravement touchés par la révolution technologique que l'Allemagne, la Corée du Sud ou la Chine. En effet, les robots seront incapables d'égaler la dextérité de la main d'un ouvrier dans les vingt prochaines années.
- L'économie de la connaissance redistribue ainsi les cartes à l'avantage des quelques métropoles et pays qui ont investi dans la technologie au détriment de l'Europe et de l'Afrique.
- En définitive, le management des inégalités intellectuelles sera le grand défi du XXIe siècle.

- Les politiques n'ont pas réfléchi aux dilemmes politiques de l'ère de l'IA. La volonté de créer des IA éthiques, explicables et certifiables semble bienveillante : c'est en réalité naïf et suicidaire. Il existe des arbitrages complexes entre « privacy » et performance des IA, puissance et explicabilité des algorithmes. Si vous rendez une IA transparente et certifiable, vous en bridez profondément l'efficacité. Le *Financial Times* titrait récemment « Mark Zuckerberg, plus apprenti que sorcier ». Les grandes plateformes sont devenues des monstres qui reproduisent nos biais humains. Vouloir éviter que Facebook soit raciste alors que beaucoup de ses utilisateurs le sont, suppose de bidouiller ses Intelligences Artificielles, ce qui est loin d'être anodin[1].
- Par ailleurs, rendre les IA transparentes faciliterait leur hacking. C'est particulièrement dangereux pour Google et Facebook. Yann Le Cun explique que Facebook ne pourrait plus fonctionner sans l'IA qui est omniprésente sur le réseau social. Rendre publics les détails techniques faciliterait les manipulations politiques.
- L'IA étant une technologie jeune, les politiciens la comprennent mal. Ils souffrent du syndrome de

1. La modification des algorithmes d'IA de Facebook est par exemple largement responsable du mouvement des Gilets Jaunes.

Dunning-Kruger ou effet de surconfiance : plus un individu est ignorant d'un sujet, plus il en surestime sa compréhension. Cela explique les décisions en apparence bienveillantes et en réalité désastreuses qui sont prises – à Bruxelles et à Paris – dans le pilotage de la révolution technologique.

- La classe politique européenne et particulièrement française est en retard d'une guerre en matière d'IA. Elle pense que le facteur clé de succès réside dans le nombre de chercheurs publics dont dispose un pays. En réalité, la phase actuelle du déploiement de l'IA repose beaucoup plus sur la capacité à accumuler des datas pour éduquer les IA de type deep learning et à favoriser des écosystèmes entrepreneuriaux autour de l'IA. Cette incompréhension, qui est la faille du Rapport Villani[1], accentue notre retard en IA et freinera le pouvoir d'achat des Français appartenant aux classes moyennes et populaires dans les prochaines décennies. Ce sera un puissant moteur de révolte populiste.
- La politique devient le métier le plus difficile au monde. Gérer la société hypertechnologique et ultracomplexe que l'IA va produire nécessite des capacités exceptionnelles. Or, les mécanismes institutionnels actuels écartent les professionnels

1. Cédric Villani et Cédric O, le conseiller technologique du président, ont parfaitement compris ces enjeux, mais, à l'exception d'Agnès Buzyn et de Jean-Michel Blanquer, l'expertise technologique du gouvernement est dramatiquement faible.

compétents en Occident de la politique, contrairement à la Chine où les élites font de la politique. Nos apparatchiks politiques ne font hélas pas le poids face aux visionnaires technologiques du parti communiste chinois.

- La maîtrise de l'IA donne un avantage géopolitique majeur aux pays qui maîtrisent le mieux l'économie de la data. La Chine est convaincue qu'elle deviendra la première puissance mondiale grâce à l'IA dans vingt ans. Cela affaiblirait encore les démocraties libérales occidentales.
- Le pessimisme européen bloque la science pendant que l'Asie de l'Est accueille avec enthousiasme les technologies liées à l'IA qui lui donnent la suprématie dans le capitalisme cognitif. Les deux mondes vont s'éloigner à grande vitesse.
- L'ingénierie technologico-politique chinoise est une réussite éblouissante. La vision à long terme des démocratures qui deviennent des « technotatures » sera supérieure au modèle en crise du libéralisme politique et de l'économie sociale de marché.
- L'Union soviétique est morte à cause de la concentration des pouvoirs et des informations à Moscou, ce qui était mortifère face à la décentralisation de l'économie de marché. Le capitalisme cognitif a radicalement changé les choses : un pouvoir est d'autant plus efficace qu'il concentre l'information, ce qui rend ses IA plus puissantes

puisque mieux nourries de données. La Chine, qui produit deux fois plus de données que les États-Unis et l'Europe réunis, bénéficie d'un avantage prodigieux.

- Le mathématicien Le Nguyen Hoang de l'École polytechnique fédérale de Lausanne a défendu dans *Le Monde* du 17 octobre 2018 l'idée qu'il n'est pas impossible que des IA fortes apparaissent dès 2025. Dans cette hypothèse, la démocratie serait menacée par l'agenda des IA qui ne s'accorderait certainement pas avec le nôtre[1].
- La généralisation des discours apocalyptiques relayés par une partie de la classe politique favorise la violence politique et renforce l'attrait de l'autoritarisme. Persuadés que le monde court à sa perte, certains proposent déjà des mesures autoritaires pour combattre le réchauffement climatique en supprimant certains droits fondamentaux. « Plutôt la dictature que l'inaction et la mollesse des démocraties. » Pendant ce temps, une Chine optimiste devient la première puissance technologique.
- La liberté devient un concept flou puisque l'IA peut nous manipuler avec notre accord. Sergey Brin, le cofondateur de Google, résume notre dépendance : « La plupart des gens ne souhaitent pas que Google réponde à leurs questions, ils veulent que

1. Je ne fais pas partie des gens comme Elon Musk, Bill Gates, Stephen Hawking qui pensent qu'une IA forte dotée de conscience artificielle puisse émerger bientôt. Mais, cette éventualité ne peut pas être définitivement exclue.

Google leur dise quelle est la prochaine action qu'ils devraient faire. »

- La politique consiste aussi à pouvoir changer de cap, mais nous ne pouvons pas choisir un plan B : sans l'IA nous serions submergés par les montagnes de données que nous créons désormais…

Avant même ses bénéfices économiques et sociaux, la technologie a d'importants effets secondaires politiques. Pour le dire brutalement, l'Intelligence Artificielle laminera les classes moyennes avant de guérir le cancer…

Sauver la démocratie va exiger des décennies de travail et ne pourra passer que par une profonde remise en cause de son fonctionnement actuel ! Jean-François Copé, que peut faire un politicien français ?

JEAN-FRANÇOIS COPÉ

Homo politicus au pays de l'IA

13 mai 2042, jour de passation de pouvoirs à l'Élysée. Victor Bot vient de remporter l'élection présidentielle dont le second tour s'est tenu le 8 mai et, laissant son épouse Sophia au Palais, il s'apprête à remonter triomphalement les Champs-Élysées. Pour la première fois depuis des quinquennats, ce sera en décapotable malgré les risques : le nouveau président est à l'épreuve des balles ! Il a fait une campagne classique, à ceci près qu'il a aussi longuement argumenté sur sa capacité à faire des choix rationnels en analysant l'ensemble des données. Comme d'autres me direz-vous, sauf qu'il peut effectivement traiter l'intégralité des informations disponibles dans le monde : Victor Bot est un humanoïde ! Avenant, sympathique et chaleureux, plutôt bel homme si l'on se fie à ses électrices, mais un androïde, conçu par une startup française en 2031 et qui a épousé la plus ancienne de ses congénères, citoyenne saoudienne depuis 2017 !

Politique fiction ? Pas forcément. Sophia existe et, en 2042, elle n'aura pas pris une ride. Depuis le 25 octobre

2017, l'Arabie saoudite lui a accordé la nationalité ainsi que des droits et libertés.

De là à être candidat à une élection, il y a évidemment un saut. Mais après tout un robot l'a déjà été, indirectement, au Japon, lors des élections municipales de 2018. Michihito Matsuda, « candidat humain » de quarante-quatre ans qui s'était déjà présenté en 2014, a fait toute sa campagne pour la mairie de Tama City en 2018 en tant que porte-voix d'un maire robot. Son programme était simple : « L'Intelligence Artificielle changera Tama City. Avec la naissance d'un maire robot doté d'une Intelligence Artificielle, nous mènerons une politique impartiale et équilibrée. Nous mettrons en œuvre des politiques pour l'avenir avec rapidité, nous accumulerons l'information et le savoir-faire et nous dirigerons la prochaine génération. » Il l'affirmait : une Intelligence Artificielle peut prendre de meilleures décisions que n'importe quel humain ne pourra jamais l'espérer et, en plus, elle est insensible à la corruption. L'argument a intrigué mais il n'a pas convaincu : le candidat d'un genre nouveau a été battu.

Pour autant, le simple fait que cette candidature ait existé montre à quel point l'Intelligence Artificielle – l'IA – est aujourd'hui partie intégrante de nos vies. Tout le monde en parle. Tout le monde y voit une transformation majeure aux contours encore mal définis. Et pour beaucoup, elle est anxiogène.

Et l'angoisse est d'autant plus forte qu'on ne cesse de nous répéter que les politiques sont incapables de faire face aux enjeux de cette révolution technologique. Laurent Alexandre vous l'a dit : pour lui, les politiques sont impuissants, ils « occupent la scène mais ne font plus l'Histoire ». Pourquoi ? Si je résume : parce qu'ils n'ont rien compris et sont en train de perdre pied, en complet décalage avec un monde dont ils ne suivent plus le rythme, appliquant de vieilles recettes à des problèmes qu'ils ne comprennent même pas. Vu comme ça, Victor Bot a toutes ses chances et nous serons bientôt gouvernés par des robots !

Eh bien, ça vous surprendra peut-être, mais je pense que Laurent Alexandre a raison.

Il a raison de dire que si rien ne bouge, si les responsables politiques français et européens continuent leur petit train-train en accouchant une fois de temps en temps de quelques mesurettes déjà dépassées avant d'être votées, nous allons nous faire manger tout cru.

Il a raison de dire que si nous n'arrivons pas à établir un minimum de rapport de forces dans une stratégie de « faible au fort » avec les Chinois et les Américains, nous perdrons nos cerveaux, nos marchés et, pour finir, la bataille.

Il a raison, enfin, de dire que si les politiques ne fixent pas dès à présent l'objectif de faire de notre pays la France et de notre continent l'Europe une terre entièrement dédiée à entrer dans l'ère de l'Intelligence Artificielle, nos concitoyens mettront leurs dirigeants dehors et ainsi on pourra effectivement constater que l'IA aura aussi tué la démocratie.

Il a raison, sauf si…

Sauf si nous changeons radicalement de méthode et d'état d'esprit ! Le passage à l'intelligence artificielle doit être le combat politique des dix prochaines années. Un défi que nous ne relèverons qu'en abandonnant nos vieux réflexes et en inventant une nouvelle manière de concevoir les politiques publiques.

Et il faut s'y mettre tout de suite ! Voici comment.

D'abord, on commence par ne pas tout mélanger !

L'IA a plusieurs visages : « faible », « forte », monotâche ou contextualisante. Laurent Alexandre a déjà très bien expliqué de quoi il retourne et pas seulement pour l'échange que nous avons ici.

Elle est en train de transformer nos vies. Bien sûr, il y a nos smartphones dont nous ne savons plus nous passer, les évolutions phénoménales qu'on nous annonce chaque jour : la voiture sans chauffeur qui sait anticiper les aléas de la circulation, les dispositifs médicaux qui permettent, à partir de centaines de milliers de données, d'établir un diagnostic et de prédire l'efficacité d'un traitement. De la finance au droit, de l'industrie à l'agriculture, aucun domaine n'y échappera.

Et puis, parce que l'IA progresse à un rythme accéléré et que l'imagination humaine est sans borne, il y a aussi ce que nous fantasmons : une IA qui saurait penser sans nous, prendre des décisions, une espèce d'humanoïde doté d'affect. Ceux qui considèrent toujours que le pire est devant nous l'imaginent même un jour éliminer le genre humain.

On peut jouer à se faire peur. Mais si on veut relever le défi, il faut commencer par ne pas tout mélanger.

L'IA n'est qu'une des technologies qui vont modifier notre existence. Les autres, ce sont les « objets connectés », la Blockchain – une technologie de stockage et de transmission d'informations décentralisée et sans tiers de confiance –, la biogénétique – cyborg et transhumanisme – ou encore la réalité virtuelle.

Elles sont étroitement imbriquées et, souvent, je parlerai d'« Intelligence Artificielle » de manière générique pour évoquer des technologies qui n'en relèvent pas au sens strict. Prenons l'exemple des cryptomonnaies : elles reposent sur la Blockchain et ne sont donc pas à proprement parler de l'IA. Mais elles lui sont de plus en plus associées : les cryptomonnaies créées pour lever des fonds dans le domaine de l'IA se multiplient et, parallèlement, se développent des systèmes d'IA pour aider les investisseurs sur le marché des cryptomonnaies. Elles appartiennent au même univers et, pour une large part, suscitent des interrogations identiques, et ce pour le législateur comme pour le citoyen.

En revanche, une technologie pose une question d'une autre nature : celle que l'on appelle le transhumanisme.

Évidemment, c'est la partie la plus spectaculaire – la « mort de la mort », l'« humain augmenté », truffé d'implants intracérébraux – et aussi la plus angoissante. Sans doute, c'est le Graal de certains chercheurs, mais je suis en profond désaccord avec Laurent Alexandre car je ne crois pas une seconde que soit en train de se forger un

« nouvel ordre bio-politique » qui substituerait au clivage gauche-droite ce qu'il appelle « l'opposition entre bioconservateurs et transhumanistes ». Peut-être que José Bové est, sur ces sujets, plus conservateur que Ludovine de La Rochère, mais ça n'a rien d'une recomposition politique. C'est juste la confirmation d'une évidence : l'éthique n'est pas la politique. Sur l'avortement, le mariage pour tous, la procréation médicalement assistée, l'euthanasie, la gestation pour autrui, les positions ne sont pas dictées par une appartenance politique. C'est en conscience et à titre individuel que chacun y est favorable ou hostile parce que l'enjeu principal est d'ordre éthique : jusqu'où peut-on aller ? dans quelles conditions recourir à ces dispositifs ?

Donc, je ne vous en parlerai pas. C'est un autre sujet avec d'autres enjeux et ce serait l'objet d'un autre livre. Et, en plus, la dimension affective et polémique est tellement forte que ça occulterait tous les autres sujets. Et depuis l'histoire du « pain au chocolat », j'ai appris que dans ce monde médiatique complexe, l'image pouvait tuer le fond.

Maintenant, parlons de l'IA !

Les politiques doivent en parler !

Pourquoi ?

Les choses sont claires : l'IA n'est pas une petite invention au concours Lépine ! Elle entraîne une transformation complète de la vie humaine dans la totalité de ses aspects, comparable – en plus ample car elle s'appuie sur les acquis passés – aux plus grandes découvertes, à commencer par celle du feu.

Et c'est à l'évidence une transformation profondément disruptive au double sens du terme. D'abord parce qu'elle va entraîner une rupture profonde dans notre mode de vie. Apprendre à une machine à jouer au jeu de Go n'est que la partie émergée de l'iceberg et peut sembler anecdotique. L'objectif est ailleurs : exploiter la puissance de la machine pour faire de manière accélérée et avec une plus grande fiabilité ce qui demande au cerveau humain du temps et un effort d'analyse. Cela va de l'analyse en temps réel du trajet le plus rapide entre deux points jusqu'au diagnostic d'une maladie rarissime. Profondément disruptive ensuite car profondément perturbante : l'IA nous impose de changer notre manière de penser le monde.

Le pire serait de ne pas en parler. De toute façon, nous n'y échapperons pas et, si nous ne nous saisissons pas de cette formidable opportunité, elle nous sera imposée par la force des choses. Dans un monde globalisé, le plus averti l'emporte ; celui qui se saisira le mieux de l'IA fixera les normes, les règles et les objectifs pour tous.

Voilà pourquoi les politiques ont l'obligation de s'y intéresser. Ils sont encore trop peu à le faire et lorsqu'ils le font, souvent, les commentateurs y voient un effet de mode ou de la politique-fiction. C'est pourtant la question qui devrait tous nous préoccuper. Et notre objectif commun doit être clair : construire l'« IA nation » à échéance de dix ans. Et ça ne doit pas être un vœu pieux. En 2030, l'IA aura encore progressé. Elle sera omniprésente de l'école à l'entreprise, dans le monde du travail comme dans la sphère des loisirs, pour nous soigner, nous faire voyager, assurer notre sécurité. Il serait irresponsable de passer à côté et de ne pas préparer les Français à vivre dans ce monde nouveau. On parle à tort et à travers de « nouveau monde », mais le vrai nouveau monde sera celui de l'IA et notre unique objectif doit être que chacun, en 2030 en France, sache et comprenne ce qu'elle est, puisse l'utiliser et en retirer des bénéfices.

Pensons à ce que l'IA peut nous apporter. Dernier exemple en date, en France, des chercheurs ont entraîné un ordinateur à analyser des données pour évaluer la manière dont des patients réagiront à un traitement contre le cancer. L'étude a été publiée dans une revue médicale prestigieuse, *The Lancet Oncology*, et les médias l'ont relayée. L'enjeu est énorme ; c'est le chef du département de radiothérapie de l'Institut Gustave Roussy, Éric Deutsch, qui en parle le mieux : « donner le plus rapidement possible la meilleure thérapeutique à des patients avec un cancer avancé. Éviter des traitements inutiles – et coûteux – est une chance supplémentaire pour eux »[1]. Et l'IA est capable de prédire les chances de succès à partir d'images médicales sans qu'il soit nécessaire de faire une biopsie par nature invasive. Même chose avec les dispositifs qui permettent de réparer le corps humain : les prothèses intelligentes

1. *Le Parisien-Aujourd'hui en France*, 27 août 2018.

que la pensée peut commander et les organes artificiels sont en passe de révolutionner la médecine. Il ne s'agit pas de transhumanisme mais de progrès scientifiques qui, en offrant de nouveaux moyens de lutter contre des pathologies, auront des implications en termes de politique publique. Nous vivons déjà plus longtemps en bonne santé et ça aura nécessairement des effets sur la santé publique, l'assurance maladie ou les retraites. Difficile par exemple de continuer à défendre la retraite à soixante-deux ans alors que le nombre de centenaires va exploser !

L'IA doit devenir une priorité absolue. Affichée et assumée, *urbi et orbi*, par tous ceux en charge des choix politiques et stratégiques de notre pays. Du président de la République au maire, chacun de ceux qui sont choisis pour décider devrait n'avoir qu'un seul objectif : créer les conditions qui permettront à la France et, par impulsion, à l'Europe, d'être une IA nation d'ici dix ans. C'est un projet digne de celui de l'homme sur la Lune en 1969 ! On cherche depuis si longtemps un vrai projet… Et puis, ne soyons pas dupes. Sinon, elle progressera sans nous et nous n'en aurons pas la maîtrise.

Avec qui ?

C'est un des enjeux de ce livre : prendre acte que le débat doit impliquer tout le monde.

L'entre-soi n'a que trop duré ! Les salons high-tech réservés aux *happy few* commencent à mettre mal à l'aise, donnant le sentiment d'une nouvelle aristocratie.

L'IA va transformer la vie de tout le monde. Chacun doit la comprendre et pouvoir l'utiliser.

Un pas a déjà été fait en ce sens avec Vivatech. Pour la première fois en 2016, un salon annuel ouvert à tous sur les nouvelles technologies et les startups a été organisé. Nous devons investir d'urgence dans la formation et la vulgarisation. Ceux qui sont spécialistes doivent initier et transmettre. C'est d'intérêt général pour ceux qui gouvernent, pour les acteurs de l'IA et pour l'ensemble des citoyens.

Mais ça ne marchera qu'à deux conditions.

La première : acter qu'il ne doit y avoir aucun tabou. La transformation va être profonde et nous avons besoin de tout le monde : les experts de l'IA, les experts des différents domaines qu'elle va bouleverser et chacun d'entre nous.

Seconde condition : hiérarchiser les problèmes car ils ne sont pas tous de même nature. L'IA est encore un terrain largement vierge dans lequel tout est à construire et imaginer. Il faut donc l'investir progressivement et se doter des instruments qui permettront de l'appréhender et d'en bénéficier.

Mais tout ça n'est pas simple ; en cause, notre rapport individuel et collectif au progrès.

Il est où le progrès ?

C'est une constante depuis la nuit des temps : comme aurait pu le dire La Fontaine, chaque fois que les hommes ont été confrontés au progrès, « ils ne mouraient pas tous mais tous étaient frappés »[1].

La complainte du progrès

Tout fout le camp !

Chaque grande vague de progrès a eu le même effet : diviseur, clivant, violent. Instrumentalisé par les uns, le progrès suscite peur et défiance, tandis que d'autres y voient une opportunité et une source d'optimisme.

La révolution industrielle en est un bon exemple. Elle débute en Angleterre et va progressivement s'étendre à l'ensemble du monde en provoquant les mêmes réactions par cycle. C'est d'abord la transformation de

1. « Les animaux malades de la peste », *Fables de La Fontaine*, livre VII.

l'agriculture et sa conversion progressive à des modes d'exploitation intensive qui entraînent un premier exode rural. Les populations qui quittent les champs vont fournir la main-d'œuvre aux futures industries, répondant à la demande d'outillage et d'engins mécaniques notamment agricoles. Puis, les métiers se transforment. Dans le domaine du textile, les métiers à tisser manuels sont remplacés par des métiers à eau puis à vapeur ; en 1801, l'invention en France du métier Jacquard achève la mécanisation définitive du tissage. Dans le secteur de la métallurgie, les innovations se combinent : Darby découvre en 1709 une technique de production de fonte à partir de coke qui permettra la construction de la locomotive à vapeur de Stephenson en 1824 qui, elle-même, conduira au développement du chemin de fer indispensable au transport de minerai et de coke. Puis le phénomène s'accélère : en 1860, est inventé le four Bessemer qui permet la production d'acier en grande quantité, Edison commercialise la première ampoule électrique en 1879, et suivront le téléphone, l'automobile, l'avion.

Bref, en quelques décennies, le monde du travail et la vie quotidienne sont bouleversés par des inventions qui sont aujourd'hui notre univers et sans lesquelles nous ne pourrions pas vivre. Toutes ont pourtant suscité alternativement crainte et envie parce qu'elles allaient changer les modes de vie et la structuration du travail. Chaque fois, des millions d'emplois ont été supprimés… puis des millions d'autres créés. Tout le monde a dû s'y adapter, apprendre à les utiliser. Elles sont devenues des évidences, et on oublie les tensions qu'elles ont entraînées entre ceux qui cherchaient à les accélérer parce qu'ils pressentaient leur potentiel et, parfois, y trouvaient leur intérêt et ceux qui voyaient un monde disparaître… et eux avec.

Le phénomène est aussi vieux que le progrès et, donc, aussi vieux que l'humanité.

Chaque mutation génère une peur ancestrale et viscérale parce que, par instinct de conservation, on se méfie de ce qui va changer la vie parce que cela commence par la menacer.

On pourrait même remonter à l'invention du feu. Claude Lévi-Strauss a bien montré ce qu'avait été la révolution néolithique : le remplacement des sociétés de chasseurs-cueilleurs par celles d'agriculteurs sédentaires. Elle était le fruit d'innovations « technologiques » : la domestication des plantes et des animaux. Partout, elle intervient au cours du premier millénaire avant Jésus-Christ et elle a eu des conséquences économiques, sociales et politiques, à commencer par la hiérarchisation de la société et la centralisation du pouvoir. On n'a guère de traces des résistances qui se sont ensuivies, mais on peut aisément les imaginer. Et ensuite : la révolte des moines copistes face à l'invention de l'imprimerie, le scepticisme généré par la disparition des métaux précieux lors du passage à la monnaie scripturale et la révolte des luddites qui, au XIXe siècle, détruisent les machines pour s'opposer à la révolution industrielle.

Notre rapport au progrès a toujours été ambivalent, presque schizophrénique. Nous sommes en train de vivre la même chose avec l'IA. Un bouleversement est en cours et tel Paul Fournier dans *Hibernatus*, nous ne reconnaîtrions sans doute pas, dans soixante-cinq ans, le monde dans lequel vivront nos petits-enfants.

Tout cela est normal, mais il faut se préoccuper des résistances.

Il y a un risque !

Parce que notre crainte du progrès se double d'une forme de scepticisme quasi idéologique.

Alors qu'une génération tout entière a été bercée par le mythe du progrès et l'idée que l'an 2000 allait tout changer et en mieux, jamais la méfiance à l'égard des sciences et des technologies n'a été aussi forte que depuis une dizaine d'années. Il y a loin du formidable engouement que suscitait, il y a cinquante ans à peine, la conquête de l'espace à l'angoisse et, pour tout dire, au rejet que génèrent aujourd'hui, dans le désordre, les vaccins, les OGM, le nucléaire ou les ondes des antennes relais. Tous les gamins nés dans les années 1960 ou 1970 rêvaient d'être astronautes ; les mêmes sont désormais convaincus que toute nouvelle avancée scientifique ou technologique est d'abord génératrice de risques.

La preuve ? Le terme de progrès a quasiment disparu du discours politique. Pendant des décennies, dans nos démocraties, il a été synonyme d'un avenir désirable. Aujourd'hui on lui préfère le terme plus neutre, plus circonscrit, d'« innovation » parce qu'il fait moins peur. Est-ce à dire que nous n'avons plus confiance dans l'avenir ? Peut-être. On connaît la multitude de sondages sur le pessimisme dans les sociétés développées, et spécialement en France. Sans doute aussi, progrès scientifique et progrès social ont-ils été longtemps associés et le second étant à la peine, il a emporté le premier.

Les Trente Glorieuses ont eu cette particularité de laisser penser que tout était possible : on n'aurait plus jamais de guerre puisque des organisations internationales garantissaient la paix, plus jamais faim puisque l'agriculture changeait radicalement et qu'on avait découvert les engrais et les pesticides qui préservaient des mauvaises récoltes, plus jamais froid puisque les ressources naturelles étaient considérées comme inépuisables... Et puis, d'un coup, tout s'est effondré et à la peur ancestrale s'est ajoutée celle du chat échaudé. Nous avons basculé dans une société de la méfiance et du principe de précaution. Et là, c'est aux politiques de jouer les éclaireurs au lieu de trembler au milieu de leurs électeurs... Prenez la droite qui se veut de gouvernement. Elle est tellement obsédée par l'idée de récupérer les voix perdues au profit de l'extrême droite (que pourtant elle ne récupérera jamais tant elle a déçu) qu'elle ne se préoccupe plus que d'immigration ou de sujets de société tendance réac. Elle a purement et simplement renoncé à ce qui est pourtant son ADN : un programme fondé sur les deux piliers que sont l'autorité et le progrès.

L'IA fantasmée

C'est dans ce contexte que s'engage la révolution de l'IA. Elle promet d'être l'une des plus importantes que l'humanité ait connues, mais, comme nous avons renoncé à rêver au progrès, c'est l'angoisse qui l'emporte. Une angoisse individuelle et collective.

Et moi, et moi et moi ?

Face à un nouveau défi, la première réaction est toujours de penser d'abord à soi. Face à l'IA, ça se décompose en deux temps.

Immédiatement, l'interrogation porte sur l'emploi : le sien et celui de ses proches. En cause, un discours ambiant qui veut faire croire que l'IA remplacera l'humain et, d'abord, l'humain au travail parce qu'elle aura des capacités sinon illimitées, du moins infiniment supérieures à celles de l'homme. Qu'importe que la mécanisation puis l'industrialisation aient à tort suscité les mêmes craintes en leurs temps, les réactions récentes face à l'ubérisation ont montré que la peur était irrationnelle et irrépressible. L'IA serait donc une menace.

Ensuite, arrivent très vite deux autres interrogations : est-ce que je vais comprendre ? en profiter ?

La problématique centrale du rapport au progrès est celle de son accès. La dialectique classique inclusion/exclusion dont l'enjeu est de savoir si on sera partie prenante de la transformation ou si on risque de rester sur le bord du chemin. Le défi est majeur pour les démocraties, d'autant que les extrémistes, appelés de façon impropre « populistes », surfent sur la peur et l'angoisse pour dénier aux gouvernants toute légitimité pour engager les politiques novatrices indispensables pour s'adapter.

Appliqués à l'IA, ces arguments sont nourris d'une part de fantasme. Diaboliser l'IA, c'est effrayer pour mieux régner. Et les discours alarmistes sont légion. Certains sont fondés et, par exemple, nier que des métiers entiers vont disparaître serait absurde. Mais une fois encore, il faut savoir les ordonner.

IA fais-moi peur !

Il y a d'abord le discours sur un monde apocalyptique où la création dépasserait son créateur, pour se retourner contre lui. Il n'est pas nouveau : déjà Einstein redoutait « le jour où la technologie dépassera les capacités humaines ». L'IA ne fait que réactiver ce refrain. Quelques semaines avant sa mort, Stephen Hawking mettait en garde : « Les formes primitives d'Intelligence Artificielle que nous avons déjà se sont montrées très utiles. Mais je pense que le développement d'une Intelligence Artificielle complète pourrait mettre fin à la race humaine. » Quatre ans plus tôt, en 2014, avec Elon Musk, l'ancien P.-D.G. de Tesla, il créait le Future of Life Institute, une association dont l'objet est de soutenir la recherche pour diminuer les risques existentiels menaçant l'humanité… au premier rang desquels l'IA.

Ils ont même lancé deux lettres ouvertes censées décrire les risques de l'IA et réclamant notamment l'interdiction des armes autonomes capables « de sélectionner et de combattre des cibles sans intervention humaine ». Elon Musk poursuit la croisade. En juillet 2017, il déclarait devant les gouverneurs américains : « Je n'arrête pas de sonner l'alarme, mais jusqu'à ce que les gens voient vraiment des robots tuer des personnes ils ne sauront comment réagir, tellement ça leur paraît irréel. »

Certains y voient une stratégie commerciale[1]. Ce n'est sans doute pas faux. D'ailleurs, Elon Musk a un projet d'interface homme-machine permettant au cerveau humain, via des implants, de rester à niveau avec les robots et explique qu'on ne pourrait pas s'en passer. En parallèle, il veut coloniser Mars pour en faire une planète de secours pour l'humanité. Quoi de plus simple : après avoir sonné l'alarme, il annonce avoir seul la solution miracle !

Mais ce discours est de plus en plus diffusé. Partout dans le monde, on met en avant les robots humanoïdes présentés comme principales trouvailles de l'IA. Ils en sont devenus l'emblème fascinant et effrayant. Qu'importe que leurs capacités techniques soient bien inférieures aux annonces de leurs concepteurs, on frappe les esprits. On les fait parler, mais sans dire qu'ils ne pensent pas de manière autonome. Sophia par exemple – vous savez, celle que j'ai imaginée aux côtés de Victor

1. Aude Lancelin, « L'Empire et la guerre », *Le 1 Hebdo*, 31 janvier 2018, n° 187.

Bot à l'Élysée – a été interrogée lors d'une conférence de presse organisée en novembre 2016 lors du *Web Summit* qui s'est tenu à Lisbonne. Le 11 octobre 2017, elle a même prononcé un discours lors d'une réunion sur l'IA organisée par le Conseil économique et social de l'ONU. À la question « que pouvez-vous faire de mieux qu'un humain » que lui posait la secrétaire générale adjointe de l'ONU, elle répondait avec ce que nous, humains, appelons un trait d'humour : « J'ai un an et demi et je peux vous voir, avoir des conversations complètes, faire des milliers d'expressions faciles et comprendre la parole et la signification derrière les mots. J'apprends encore beaucoup. »

Pourtant ces robots humanoïdes ne sont qu'une part minime de l'IA et clairement pas la priorité des chercheurs dont l'objectif n'est pas de reproduire l'homme mais de concevoir des machines intelligentes qui facilitent son quotidien, le déchargent des tâches ingrates et lui permettent de libérer du temps.

En revanche, une chose est sûre : ces discours permettent aux imprécateurs de mieux régner. Et ils rencontrent un écho car ils s'ancrent dans de vieilles représentations humaines de l'IA. Peur et fantasme sont ainsi alimentés.

Depuis le XIXe siècle, nous sommes bercés par l'imaginaire du robot, à commencer bien sûr par le monstre de Frankenstein qu'imagine Mary Shelley en 1818. Et même la pièce de théâtre de Karel Capek donnée à Prague en 1920 qui est la première à utiliser le mot « robot » voit déjà des machines esclaves se révolter contre l'homme. Chaque fois, le robot humanoïde menace l'humanité.

Dans une certaine mesure, Laurent Alexandre participe de ce mouvement lorsqu'il met en avant le transhumanisme et nous explique que demain tous les bébés seront fabriqués. Je vous ai déjà dit que, pour moi, c'est un autre sujet. Bien sûr, l'IA va conduire à un développement très important des robots. Et ils seront partie intégrante de nos vies d'ici quelques dizaines d'années. Pour autant, on n'est pas obligé de céder aux fantasmes les plus absurdes, d'autant que les robots ne sont et ne seront que ce que nous leur aurons permis de devenir.

Alors, oui, l'IA est une transformation profonde et il n'est pas anormal de craindre le bouleversement qu'elle annonce. Mais c'est exactement la raison pour laquelle les politiques doivent l'anticiper.

La grande rupture

Quand les « légers » mettent K.-O. les « lourds »

Les « lourds », ce sont ceux qui ont des acquis. Les experts, les spécialistes de leurs domaines. Ceux qui ont une expérience et des modes de fonctionnement. Les « légers », ils n'ont ni passé ni habitude. Ils sont une page blanche.

Face à une invention classique, les « lourds » s'en sortent car ils ont simplement à s'adapter à une évolution.

En revanche, quand la transformation est profonde et emporte tout sur son passage, ce sont les « légers » qui sont favorisés, à la manière de la génération Y, née après 1995 et éduquée avec Internet, qui ne peut pas même imaginer les efforts que les générations précédentes doivent faire pour s'y mettre. Et même chose pour les grands groupes face aux startups.

Les « lourds » seront réticents, voire hostiles, pris de vertige à l'idée de perdre leurs repères. Ils ne veulent pas croire qu'un facteur extérieur – l'IA – peut ébranler leur job, leur expérience et leur image d'expert. Ne les blâmons pas, c'est humain. Rien d'anormal à ce qu'un médecin s'émeuve, après des années de pratique, que son diagnostic soit moins fiable que celui d'un robot qui peut comparer les résultats d'analyse d'un patient avec ceux de millions d'autres. Idem pour un avocat qui, depuis des décennies, est consulté pour rédiger des contrats et qui devra accepter qu'un logiciel peut faire la même chose en quelques secondes et sans aucun doute sur la loi en vigueur. Puis il devra se mettre à la « justice prédictive », ce système qui permet, en croisant l'ensemble des décisions de justice, d'établir des statistiques et des probabilités sur l'issue d'un litige : le montant prévisible des dommages-intérêts que peut obtenir son client, les chances de gagner un procès, le risque d'être condamné et, même, les tendances de telle ou telle juridiction.

Alors, bien sûr, c'est une sacrée révolution pour des métiers dans lesquels on considère, depuis toujours, que l'expérience fait la qualité et que des années de pratique sont irremplaçables. S'ils ne l'anticipent pas, ils resteront K.-O.

Une nouvelle « géopolitique de l'émotion »

Même chose d'un point de vue géostratégique : l'IA va bouleverser ce que Dominique Moïsi appelle la « géopolitique de l'émotion »[1].

On connaît la distinction qu'il fait entre les cultures de peur en Occident, d'espoir en Asie et d'humiliation dans le monde arabo-musulman. Quand on parle d'IA, la culture de l'espoir s'étend à l'Amérique et à l'Afrique.

L'Amérique, c'est l'évidence. Au moins le continent nord-américain. Il est le lieu de naissance des géants de l'IA et, à cet égard, l'espoir l'emporte résolument sur la peur. Cela ne veut pas dire que l'IA y génère moins de débats. D'ailleurs, la victoire de Trump dont le programme était ouvertement anti GAFAM le montre. Mais, si des résistances demeurent, elle y est encore d'abord perçue comme une formidable opportunité.

Quant à l'Afrique, elle a une capacité d'évolution gigantesque là où d'autres continents doivent opérer une révolution par rapport à des systèmes bien établis. C'est aussi un formidable marché, le plus prometteur du monde : il sera bientôt le plus peuplé, il connaît une hausse du niveau de vie et une croissance

1. Dominique Moïsi, *La Géopolitique de l'émotion*, Flammarion, 2008.

économique incomparables et, parallèlement, il souffre d'un cruel déficit d'infrastructures. L'Afrique est le continent « léger » par excellence et elle l'a déjà montré. Par exemple, le paiement mobile y est en avance par rapport aux États-Unis ou à l'Europe. La Chine ne s'y est d'ailleurs pas trompée qui y investit massivement depuis plusieurs années et Laurent Alexandre a raison de parler d'une stratégie de « Chinafrique » dans ce domaine aussi. Cela en fait un continent d'espoir, vu d'Afrique et vu depuis les géants de l'IA. Nous devrions y être plus attentifs et quand je dis « nous », je pense à la France et plus largement à l'Europe.

L'Europe, justement ! Nous en reparlerons car c'est assurément le défi majeur des années à venir que de faire que l'IA soit pour elle un espoir et une opportunité. Mais elle n'y parviendra que si on rompt avec la culture de peur – fonds de commerce des populistes – pour retrouver foi dans l'avenir.

Les trois mantras de l'IA

On change de ton !

L'IA fait peur ? Dont acte ! Elle suscite des interrogations ? C'est normal. Il faut l'accepter et même, le contraire serait inquiétant. C. Villani le dit très bien : « On a toujours peur de ce qui est inconnu, une peur mêlée d'excitation. Et la vague actuelle comporte beaucoup d'inconnues dans ses implications[1]. »

Mais pour combattre ces peurs, il faut changer la manière de parler de l'IA.

Toutes les questions sont bonnes à poser, elles permettent de progresser. L'IA n'a rien de magique, rien d'insurmontable : chacun peut s'y mettre pour peu qu'on lui explique ce qu'il peut faire et comment ça peut améliorer sa vie.

Donc on y répond gentiment, posément et avec bienveillance, sans arrogance, prétention ou mépris. Il n'y a pas les « sachants jaloux de leur maîtrise » et les « ignorants qui de toute façon n'y comprendront rien ». Les spécialistes de l'IA doivent devenir des guides et expliquer avec des mots simples et intelligibles ce que sera l'avenir.

Et les politiques doivent faire de l'IA un projet démocratique. C'est l'objet de ce livre : penser l'« IA nation ». C'est-à-dire repenser le rôle de l'État dans un monde transformé, établir la feuille de route à suivre pour valoriser les atouts de la France dans ce domaine et imaginer une Europe de l'IA.

Si on ne le fait pas, l'IA sera perçue uniquement comme une menace, un progrès maîtrisé par d'autres. Si l'on en croit Woody Allen, « l'IA se définit comme le contraire de la bêtise humaine ». Profitons-en pour en parler !

---

1. « La concurrence entre l'homme et l'IA n'a pas vraiment de sens », *Le 1 Hebdo*, 31 janvier 2018, n° 187.

Ensuite, admettons une fois pour toutes que l'IA est une transformation inéluctable et irréversible qui concernera tout le monde. Plus tôt on l'acceptera, plus tôt on la comprendra et la maîtrisera.

En plus, si l'on en croit les sondages, les Français y sont prêts !

Les chiffres parlent d'eux-mêmes. 80 % des Français ont le sentiment que l'IA s'est déjà installée dans leur quotidien. 85 % des Français pensent qu'elle sera, comme Internet, une révolution et 72 % sont curieux, même si 64 % s'inquiètent.

Leurs craintes sont d'ailleurs très diverses : la démocratie, la protection de la vie privée, l'emploi. En tout cas, pour 54 % des Français, l'IA sera porteuse d'opportunités au quotidien, notamment dans les domaines de la santé, de la conduite et des tâches administratives et domestiques et 46 % veulent aller plus loin en la matière. Seulement 43 % craignent que les robots prennent un jour le pouvoir[1]. Ça laisse à Victor Bot une chance sérieuse d'être élu !

Quant à la question du travail, 60 % des Français estiment devoir se former pour conserver un emploi face à l'IA et 49 % pensent qu'elle permettra aux salariés de se concentrer sur des tâches plus valorisantes[2].

Si ces sondages sont exacts, les Français ont moins peur de l'IA qu'on ne le dit (et surtout moins peur que

1. Sondage CSA janvier 2018, « Les Français et l'IA ».
2. Sondage IFOP octobre 2017, « Le regard des Français sur l'IA ».

leurs dirigeants politiques ne le pensent). Et ils sont convaincus que ce n'est pas juste une mode qui va passer.

L'enjeu est donc d'aborder la transformation de manière positive, de la piloter et de permettre à chacun d'y trouver son compte. C'est une chance ! Apprenons à « aimer ce qu'on est obligé de faire » !

On ne dit jamais « jamais »

Du coup, il faut accepter de ne « jamais dire jamais » et comme le recommande Jean-Paul Belmondo à Richard Anconina dans *Itinéraire d'un enfant gâté*, ne jamais être étonné !

Le message s'adresse en particulier aux experts des différents domaines qui vont être bouleversés par l'IA. Ils sont, dans leurs secteurs respectifs, les plus réticents à la transformation car ils ont le sentiment qu'elle les met en péril. Le médecin se sent menacé, l'avocat concurrencé, ils sont pourtant les mieux armés pour apprécier les progrès de l'IA et, parce qu'ils sont les plus compétents, ils doivent accompagner l'entrée de l'IA dans leur domaine.

C'est un point essentiel. Leurs atermoiements sont aussi responsables du pessimisme ambiant. Et qu'ils ne se leurrent pas, leur résistance est vouée à l'échec. Soit ils évoluent avec leur métier et resteront leaders grâce à leur expérience du « monde d'avant », soit ils subiront le nouveau modèle. Mais ils ne pourront pas faire obstacle à la transformation. Parce que, dans le monde des chercheurs et des ingénieurs de l'IA, rien n'arrête jamais le mouvement ; les questions sans réponse aujourd'hui n'inquiètent personne et elles ne conduisent personne à renoncer. Au contraire ! Tels les chercheurs d'or, chacun poursuit sa quête, certain qu'il va trouver la mine qui le rendra richissime d'abord, transformateur de l'humanité ensuite.

Objectif : IA nation !

Rien d'incantatoire dans la formule ! C'est là-dessus que les politiques doivent épater Laurent Alexandre ! On les imagine peureux ? Ils doivent se montrer courageux ! Dépassés ? Ils doivent écouter les spécialistes ! Et surtout décider, commander, veiller à ce que toutes les énergies soient rassemblées sur un vrai programme à dix ans.

À l'évidence, nous allons devoir prendre, à tous les niveaux, des décisions collectives : faire évoluer l'organisation des entreprises, modifier notre vie quotidienne, transformer notre droit.

Les entreprises devront s'appuyer sur le déploiement des nouvelles technologies, et mobiliser et valoriser les interactions entre humains et robots. Une partie croissante des travaux techniques sera automatisée mais l'humain demeurera un acteur décisif et la réussite des entreprises plus encore qu'aujourd'hui fondée sur la créativité, l'implication dans les relations interpersonnelles et l'appropriation stratégique des équipes, quel que soit d'ailleurs leur niveau de qualification. Le leadership des dirigeants et la construction du collectif joueront un rôle au moins aussi essentiel que la formation technique. Et chacun pourra profiter d'être allégé d'une partie de ses tâches les plus contraignantes pour organiser son temps de manière à travailler plus efficacement et à mieux concilier vie privée et vie professionnelle.

Qu'attend le gouvernement pour le répéter aux Français matin midi et soir plutôt que de se perdre dans des commentaires d'actualité verbeux et autosatisfaits ?

Mais il faut aussi mettre en place des protections pour que le travail avec la machine ne s'avère pas dommageable. Le problème n'est pas nouveau. Par exemple, le droit à la déconnexion, que réclamaient la majorité des actifs, est légalisé en France depuis le 1er janvier 2017. Les réglementations en matière de droit du travail, mais aussi sociale et fiscale, doivent accompagner ce mouvement de transformation de l'économie et de la société en créant les flexibilités et les incitations utiles tout en posant les règles contraignantes nécessaires.

Bien sûr, cela demande des efforts : mobiliser les énergies et engager des changements structurels que nous n'avons pour l'instant pas opérés. Et cela demandera du temps et de l'argent. Mais l'IA est déjà dans nos vies et nous l'adorons ! Pour de bonnes ou de mauvaises raisons ! Nous devons concevoir l'avenir avec l'IA, donc transformer entièrement notre manière de raisonner et de fonctionner.

Et cela commence par l'acceptation d'un Yalta de la souveraineté pour éviter de tout perdre !

Pour un Yalta de la souveraineté

Les Français, comme les autres Européens, sont des nains dans le domaine de l'IA. Laurent Alexandre parle sans indulgence de « crapauds » ! Nous consommons l'IA produite sur d'autres continents. Son constat est exaspérant comme toute vérité qu'on ne veut pas entendre ! Donc c'est le moment de choisir : soit nous continuons à regarder se constituer des géants de l'IA ailleurs et acceptons d'en être les clients en nous lamentant sur les conséquences et les risques que cela emporte, soit nous décidons de reprendre la main et de devenir stratèges en imaginant une tactique et un plan pour exister sur ce terrain.

Revue des troupes avant la bataille !

Le cri d'alarme de Laurent Alexandre repose sur deux idées : on aurait pris trop de retard et les GAFAM (entendez Google, Apple, Facebook, Amazon et Microsoft) et les BATX (leurs équivalents chinois Baidu,

Alibaba, Tencent, Xiaomi) seraient les nouveaux souverains ! Reprenons dans l'ordre.

Tout est foutu, c'est trop tard ? Évidemment non !

Cessons de nous morfondre sur le fait que nous aurions un train de retard. C'est la mauvaise excuse pour ne rien faire.

D'abord, il faut se détendre avec l'idée du retard : on peut toujours prendre le train en marche à condition de s'en donner les moyens. Les Chinois et les Brésiliens ont rattrapé leur retard de production industrielle en bien moins de temps qu'il n'en a fallu aux Européens pour l'inventer. Il n'y a pas de raison que nous ne fassions pas la même chose alors que nous avons des cerveaux que les géants de l'IA nous envient et hélas trop souvent – mais ça, c'est notre faute – nous empruntent.

Beaucoup a été fait sans nous. Dont acte ! On ne réinventera pas l'IA ! Elle est opérationnelle, tant mieux ! Les plâtres ont été essuyés par d'autres. Maintenant sachons en tirer les bénéfices et développons la stratégie qui nous permettra d'entrer de plain-pied dans le système pour en devenir un acteur de pointe. Prenons notre destin en mains.

Des souverains venus d'ailleurs ? Oui, sauf si

Oui, les acteurs de l'IA disposent de données en nombre et dans des proportions jamais atteintes dans aucun secteur par le passé. Potentiellement, c'est un outil de toute-puissance et parce que ces acteurs sont des entreprises privées, ces instruments échappent à l'État. Face à eux, les États seraient irrémédiablement condamnés à perdre couronne, royaume et attributs.

Encore un désaccord avec Laurent Alexandre. Dans *La Guerre des intelligences*, il affirmait que « L'essentiel des règles n'émane plus du Parlement mais des plateformes numériques » et demandait « Que pèsent, en effet, nos lois sur les médias par rapport aux règles de filtrage de l'IA de Google ou Facebook ? »[1]. Il a raison quand il dit que l'Europe « n'a pas l'arme du moment : l'Intelligence Artificielle », mais tort quand il estime que le décrochage est définitif. Oui, l'Europe a jusqu'à présent été trop lente et pas assez unie. Mais les choses sont en train de changer. Il y a une prise de conscience et, surtout, la bataille n'est pas terminée. Elle ne fait que commencer !

Alors, oui, bien sûr, si les GAFAM et les BATX devaient décider de se mettre d'accord sur des aspects stratégiques, nul doute que cela créerait les conditions de nouveaux équilibres, voire de déséquilibres. Mais nous n'en sommes pas là : tout au contraire, ils se dévorent entre eux. Évidemment, il y a un axe États-Unis-GAFAM et Chine-BATX qui est en train de se créer. Il est clair que les premiers œuvrent à la puissance américaine tandis que les seconds sont au service du projet économique de la Chine. On peut toujours se demander

1. Laurent Alexandre, *La Guerre des intelligences. Intelligence Artificielle versus Intelligence Humaine*, JC Lattès, 2017.

si cela veut dire que GAFAM et BATX sont souverains ? ou que les États-Unis et la Chine demeurent les souverains et ont trouvé dans leurs géants numériques nationaux de nouveaux champions pour exercer leur souveraineté ?

Dans tous les cas de figure, une chose est certaine : il faut se bouger !

D'où mon idée de Yalta !

Nous sommes à l'aube d'une ère nouvelle. Comme Churchill, Roosevelt et Staline réunis en février 1945 pour évoquer le nouvel ordre du monde sur les ruines de l'hitlérisme, l'Europe, les États-Unis et la Chine ont aujourd'hui des positionnements et des intérêts différents, voire divergents, sur l'IA. Parce que l'IA va contribuer à instaurer un nouvel ordre mondial, nous avons intérêt à élaborer une stratégie commune clairement identifiée, dans laquelle personne n'apparaîtra perdant, mais qui permettra de poser des garanties. Il ne s'agit bien sûr pas d'opérer un partage du monde ; ce n'était d'ailleurs pas, contrairement à ce que certains prétendent, l'objectif de la conférence de Yalta. Mais nous devons, de manière pragmatique, participer à l'élaboration du cadre dans lequel vivront les générations futures.

C'est un enjeu politique et démocratique que les gouvernants doivent avoir clairement à l'esprit. Pour l'instant, leur obsession est d'interdire. À certains égards c'est justifié, mais ça n'est pas suffisant. Construire l'IA nation, c'est développer une stratégie et fixer un tempo. Et là sont les véritables combats !

À la conquête de l'IA !

En 1962, Kennedy annonçait, dans un discours célèbre, que les États-Unis avaient « choisi d'aller sur la Lune ». Choisissons d'aller vers l'IA. On peut reprendre ses arguments mot pour mot : choisissons d'aller vers l'IA « au cours de cette décennie et d'accomplir d'autres choses encore, non pas parce que c'est facile, mais justement parce que c'est difficile. Parce que cet objectif servira à organiser et offrir le meilleur de notre énergie et de notre savoir-faire, parce que c'est le défi que nous sommes prêts à relever, celui que nous refusons de remettre à plus tard, celui que nous avons la ferme intention de remporter » ! Il a fallu sept ans pour que Neil Armstrong marche sur la Lune. Donnons-nous-en dix et faisons de la conquête de l'IA le défi de la décennie pour la France et l'Europe !

Paradoxalement, c'est à la fois plus simple et plus complexe que conquérir l'espace.

Au secours, je parle à un algorithme !

La révolution numérique fait disparaître les interlocuteurs et les intermédiaires traditionnels. La combinaison de l'IA au big data va amplifier ce phénomène.

Chaque fois que nous achetons en ligne plutôt que dans un commerce, le système fait disparaître l'intermédiaire habituel : nous ne discutons plus face à face avec un vendeur, un libraire, un banquier ou un agent de voyages. Demain, ce sera la même chose pour les notaires ou les médecins.

Tout passera par de la data – des données. Et chacun de nous en produit, parfois sans le savoir.

Ce sont notre dossier médical, nos informations fiscales, nos achats, nos billets de transport ; de plus en plus, ces données sont informatisées mais il en reste encore beaucoup sur papier. Demain, elles seront toutes stockées de manière virtuelle. Et puis il y a aussi ce que nous injectons sur le web : nos emails, nos recherches Google, nos pages Facebook ou nos comptes Twitter. Tout ça est traité à nouveau par l'IA pour obtenir de nouvelles données – des statistiques, des tendances – et construire des stratégies. C'est une révolution !

Et ces datas sont le carburant de l'IA. Elles sont la base de l'apprentissage automatique par les machines, le machine-learning. Si les voitures sans chauffeur sont capables d'identifier un piéton, c'est parce que les logiciels qui constituent leur « cerveau » ont été saturés d'images humaines et qu'on les a programmés pour s'arrêter lorsqu'ils en rencontrent sur leur trajet. Idem quand Siri, Alexa ou Google Home reconnaît notre voix et nous dit le temps qu'il fait ou qu'un film qui devrait nous plaire va sortir. Chaque fois, ces technologies ont appris à partir des données que nous leur avons transmises en utilisant nos téléphones portables, en passant des commandes ou en utilisant un moteur de recherche.

Et c'est comme ça que les GAFAM et les BATX deviennent des géants puisque derrière leurs « vitrines » – les activités « grand public » que nous utilisons tous – il y a la face immergée de l'IA : nourrir des « cerveaux » artificiels avec les informations que nous communiquons et, grâce à elles, les faire sans cesse progresser.

Pas besoin de vous dire que lorsque le système fonctionnera à plein régime, plus rien ne sera comme avant. Et comme nous produisons à la seconde des centaines de données qui seront accessibles en temps réel, tous les éléments sont réunis pour produire le meilleur comme le pire. Et ce n'est pas de la science-fiction.

Rappelez-vous, en 2013, l'ancien vice-président américain Dick Cheney avait révélé lors d'une émission sur CBS qu'il avait fait désactiver la fonction sans fil de son pacemaker pendant son mandat pour éviter que des hackers puissent lui faire faire une crise cardiaque. Du coup, une université texane a développé une nouvelle technologie avec un mot de passe unique basé sur les battements du cœur…

Je ne change pas d'avis : l'IA est un progrès ! Mais on ne la conquerra pas les yeux fermés ! Première étape : établir un cadre de confiance dans lequel chacun – utilisateur, opérateur du secteur et pouvoirs publics – sait ce que l'on fait des données.

Mettons-nous autour de la table pour établir des principes.

L'un des enjeux majeurs est le Cloud, ces « nuages » qui font office de gigantesques bibliothèques dans lesquelles finissent toutes nos données. Vous avez un iPhone ? Sauf si vous l'avez refusé, toutes les informations qu'il contient sont automatiquement et régulièrement sauvegardées par Apple. C'est formidable car lorsque vous changez de portable, vous n'avez plus qu'à vous connecter pour que votre nouveau téléphone récupère toutes les informations de l'ancien. Mais, en permanence, tout est rangé quelque part sans que vous sachiez exactement où et comment et peut être récupéré et utilisé à votre insu.

Bien sûr, il y a des règles. Par exemple, le droit de l'Union européenne interdit le transfert de données à caractère personnel vers un pays hors Union européenne, sauf s'il assure un niveau de protection suffisant des données personnelles.

Il faut aller plus loin et développer le Cloud européen. Je vous en reparlerai.

Et puis, chacun doit pouvoir savoir ce que l'on fait de ses données : pour quoi elles sont utilisées ? sur quelle base une décision a été rendue ? C'est un effort de transparence, ce que le pourtant trop timide rapport Villani appelle « l'auditabilité des systèmes d'IA »[1]. L'IA a un formidable potentiel de développement mais c'est une « boîte noire ». L'Union européenne a engagé une réflexion sur le sujet. C'est indispensable car c'est la condition de l'acceptabilité des innovations apportées par l'IA.

Je vous l'ai dit, il y a beaucoup à faire. À commencer par sauvegarder les acquis, au premier rang desquels la neutralité du Net.

1. Cédric Villani, *Donner un sens à l'Intelligence Artificielle. Pour une stratégie nationale et européenne*, Documentation Française, mars 2018, p. 140.

Jean-François Copé

Neutralité chérie

Il en a été beaucoup question ces derniers mois à cause d'un débat aux États-Unis.

Rappelons d'abord de quoi il s'agit.

Pour qu'Internet fonctionne, il faut des fournisseurs d'accès, des fournisseurs de services – les sites web – et des utilisateurs. Les fournisseurs d'accès offrent la connexion à Internet ; ce sont en général des opérateurs de télécommunications. Les sites web sont des pages Internet accessibles lorsqu'on a la connexion. Pour schématiser, les fournisseurs d'accès Internet sont des gestionnaires d'autoroute dont les véhicules sont les sites web.

La neutralité du Net est un principe simple : les fournisseurs d'accès Internet doivent permettre d'accéder à tout ce qui est mis en ligne sans discrimination de prix, de personne ou de contenu, donc sans filtrage. Par exemple, Numericable ou SFR ne peut pas privilégier *Libération* ou *L'Express* au motif qu'ils appartiennent tous au même groupe, Altice. Même chose lorsqu'on choisit son site de vidéo à la demande ou son site de musique. En clair, c'est ce qui permet à chacun d'entre nous, dès lors qu'il a une connexion Internet, de consulter n'importe quel site sans que son fournisseur d'accès puisse l'en empêcher.

Et ce principe a aussi une autre conséquence que souvent on oublie : puisque le Net est neutre, n'importe quelle startup peut décider de s'y lancer dans les mêmes conditions qu'un opérateur déjà implanté. C'est donc une garantie d'égalité pour les utilisateurs en même temps qu'un principe qui assure la liberté d'entreprendre par la libre concurrence.

La neutralité du Net est née en même temps qu'Internet car elle permettait au réseau de se développer. On ne s'est posé la question d'en faire un principe juridique qu'à partir du moment où certains ont expliqué qu'il fallait la supprimer. En cause : le coût des investissements pour déployer des réseaux de nouvelle génération – notamment la 4G et la 5G – et la difficulté d'assurer la qualité d'accès compte tenu de la multiplication des sites – bref, des questions de bande passante.

Dans le cadre de l'Union européenne, la neutralité du Net est expressément consacrée depuis fin 2015. Il n'y a que quelques exceptions : par exemple, les flux permettant de mener des opérations chirurgicales à distance peuvent bénéficier d'un réseau de meilleure qualité, mais à condition que cela ne dégrade pas la qualité du flux principal. C'est du bon sens !

Aux États-Unis, les choses sont plus compliquées et les opérateurs téléphoniques contestent le principe depuis le début des années 2000. Consacré en mars 2015, sous la présidence de Barack Obama, il a été supprimé en décembre 2017, Donald Trump expliquant que la neutralité bridait la « liberté d'Internet ».

Ce revirement a été, à juste titre, très décrié car les utilisateurs en sont les premières victimes. Qu'ils doivent payer un abonnement plus cher pour avoir une connexion de qualité ou qu'ils soient empêchés d'accéder à un site parce que celui-ci n'a pas conclu d'accord avec leur fournisseur d'accès, ils sont dans tous les cas perdants.

Mais tous les arguments de Donald Trump n'étaient pas erronés. Les opérateurs de télécom investissent massivement dans les réseaux et trouvent insensé que les grands groupes Internet ne soient pas mis à contribution alors qu'ils sont les premiers à en bénéficier. À court ou moyen terme, les mêmes opérateurs n'auront plus les fonds suffisants pour poursuivre cet effort. Pour Donald Trump, supprimer la neutralité du Net permettrait de faire payer davantage les GAFAM et, donc, de corriger la situation. Comme souvent avec lui, la réponse est simpliste mais la question pas dénuée d'intérêt. Je vous expliquerai pourquoi je pense qu'on doit donner plus de pouvoir aux opérateurs téléphoniques afin qu'ils deviennent des remparts efficaces contre Netflix, Google et autres Amazon.

En résumé, la neutralité du Net est un acquis à préserver mais la question des investissements dans les infrastructures doit être réglée. C'est la condition pour offrir à tous les territoires une couverture satisfaisante. Et, disons-le une fois pour toutes, il n'y a aucune raison que des géants non européens dévorent la bande passante de nos opérateurs sans contrepartie.

Un programme Apollo pour l'IA

Mais, pour commencer, comme pour la conquête de l'espace, il nous faut un programme Apollo pour l'IA. C'est indispensable pour, une étape après l'autre, construire l'IA nation et laisser suffisamment de liberté pour que les technologies puissent continuer à progresser tout en fixant des lignes rouges.

Cependant, à la différence de la conquête de l'espace, tout ne sera pas fait par les États car des acteurs existent déjà (les fournisseurs d'accès, les GAFAM, les BATX). Le rôle des gouvernants n'est donc pas de créer la NASA de l'IA mais de réguler, promouvoir et protéger pour que, dans dix ans, nous ayons atteint l'objectif.

Réguler, c'est indispensable face à une innovation de grande ampleur qui va changer le monde. Comme le Code de la route, nous devons imaginer un cadre juridique unique dans lequel l'IA se développera. Certains choisiront peut-être de conduire à gauche plutôt qu'à droite. C'est déroutant mais une fois au volant, on s'y fait. En revanche, il y a quelques grands principes sur lesquels on doit s'accorder : la neutralité du Net – je viens de vous en parler –, la protection des données et leurs conditions de stockage et d'utilisation, et puis aussi des questions plus spécifiques mais auxquelles il faut réfléchir le plus tôt possible, tels les « armes autonomes » et les « robots armés ». Ça ne se fera pas tout seul mais il faut se mettre d'accord aux niveaux national et européen puisque, par nature, l'IA repose sur des flux de données qui ne connaissent pas de frontières. L'IA nation est à ce prix : une régulation qui garantisse l'égalité d'accès tout en favorisant les Européens.

Ensuite, il faut promouvoir l'IA. Cela passe par des outils, notamment d'attractivité fiscale, par l'exemple donné en faisant entrer l'IA dans les services publics mais, plus généralement, par la mise en place de politiques publiques qui favorisent son développement. C'est le point central et j'y reviendrai.

Le troisième pilier de l'IA nation, c'est protéger.

Il ne s'agit pas d'interdire bêtement mais de définir des règles pour – et avec – les opérateurs et d'éduquer les utilisateurs. Si les GAFAM et les BATX n'existent que par les données que nous leur fournissons, le meilleur rempart contre les abus est de permettre à chacun de comprendre l'utilisation qui peut être faite de ses données. L'éducation et la formation sont, on le verra, indispensables pour que nous soyons tous des « utilisateurs éclairés » et « responsables ». Chaque jour, anecdotes et faits divers foisonnent en lien avec l'utilisation des réseaux sociaux. Tel s'étonne que des centaines de personnes aient fait irruption dans une soirée qu'il organisait alors qu'il avait publié l'invitation sur sa page Facebook. Un autre crie à l'usurpation d'identité sans se douter que cela peut résulter de ce qu'il a mis sur Twitter une photo parfaitement lisible de son passeport. Imaginez avec l'IA généralisée. Si on veut que, en 2030, chacun puisse en bénéficier, il faut mettre en place des dispositifs permettant aux utilisateurs de prendre conscience de ce qu'ils font. Ceux qui ont des enfants le savent : la meilleure manière de les protéger du monde dans lequel ils vont vivre, ce n'est pas de dresser des interdits mais d'expliquer sans relâche ce que l'on peut faire et ne pas faire et que chaque décision a des conséquences.

Bref, l'IA nation, c'est l'occasion de faire de la disruption une stratégie. Puisque le monde va profondément changer, aux politiques d'imaginer le nouveau monde et pas avec les outils et les références de celui d'avant.

Et, pour moi, les choses sont claires : ça ne peut marcher que si on le fait à l'échelle de l'Europe.

Point de salut hors de l'Europe

Avec l'IA, tout est en train de changer. Les entreprises entièrement automatisées se multiplient – ce qu'on appelle les entreprises plateformes. Le nombre d'objets connectés augmente sans cesse – 7 milliards sont en service en 2018, 18 si on y ajoute les smartphones, tablettes et PC et ce nombre devrait doubler d'ici 2025. Et la « planète digitale » se structure autour de deux pôles : États-Unis/GAFAM et Chine/BATX.

Jusqu'à récemment, les États-Unis dominaient sans partage : ils ont vu naître Internet et les GAFAM. Puis la Chine a investi massivement et créé ses propres géants qu'elle protège par une muraille numérique. Les deux pays se livrent donc une guerre féroce pour devenir le leader mondial de l'économie numérique et de l'IA. C'est aujourd'hui la nouvelle guerre froide. Une guerre pour la nouvelle denrée la plus précieuse : la data qui permet de rendre le robot plus intelligent. L'enjeu est toujours le même, c'est la domination du monde.

Il faut comprendre comment la Chine s'est donné les moyens d'écraser tout le monde. Entrés brutalement dans la société de consommation, les consommateurs chinois étaient indiscutablement « légers » au sens où j'ai utilisé le terme et ils ont adopté très rapidement les nouvelles technologies. Un exemple : ils ont sauté l'étape des cartes de crédit pour utiliser directement les plateformes d'e-paiement. Tandis qu'Apple Pay peine à se développer aux États-Unis, Tencent réalise déjà plus de 600 millions de transactions dématérialisées par jour ! Du coup, ce sont d'énormes stocks de données pour entraîner leurs algorithmes d'apprentissage automatique et, clairement, les normes chinoises relatives à la confidentialité des données de 1,4 milliard de Chinois n'ont pas grand-chose à voir avec celles qui ont cours en Occident.

Dans certains domaines, les progrès de la Chine sont fulgurants. Prenons l'exemple de la reconnaissance faciale. Elle est omniprésente dans le quotidien des Chinois. Elle permet d'identifier les criminels au même titre que les piétons trop pressés en quelques secondes, parmi des centaines de millions de visages. Les plus importantes « licornes » du pays, ces startups valorisées à plus d'un milliard de dollars, sont spécialisées dans ce domaine. Et le gouvernement chinois a annoncé vouloir mettre en place d'ici 2020 un « système de crédit social ». Le principe : attribuer aux citoyens, aux fonctionnaires et aux entreprises une note représentant la confiance dont ils sont dignes. Pour ce faire, on collecte des centaines de données sur chacun, depuis sa capacité à tenir ses engagements commerciaux jusqu'à son comportement sur les réseaux sociaux, en passant par le respect du code de la route. Puis, un score est généré sur la base duquel sont attribués ou retirés certains droits, comme celui de diriger une entreprise, de travailler dans l'industrie alimentaire ou chimique, ou d'inscrire son enfant dans une école privée.

Et tout cela dans un cadre entièrement verrouillé puisque l'Internet chinois a été développé comme un Intranet pour contrôler l'entrée et la sortie des informations. Le gouvernement chinois va jusqu'à le protéger de l'influence américaine, en évitant les câbles sous-marins passant par les États-Unis et développe, par exemple, des câbles terrestres vers l'Europe. Il réfléchit aussi à contourner la Russie, en passant par le Sud.

Pas étonnant que le nombre des startups chinoises explose.

Et l'Europe dans tout ça ? Elle est à la traîne ! Parce qu'elle est lente et parce qu'elle est « lourde » ! Et quand on dit que l'IA peut aussi tuer la démocratie, c'est à ces atermoiements européens que l'on pense tout de suite. Elle dominait l'industrie des télécommunications dans les années 2000 et a disparu des technologies de pointe. Son action est encore peu claire et insuffisamment coordonnée. Laurent Alexandre a raison : l'Europe n'a pas mené la bataille car elle n'a pas compris ce qui se passait. Elle va la perdre, sauf si elle décide de s'en donner les moyens. Mon pari c'est que l'IA est pour elle une occasion de revenir dans le jeu. Et elle doit la saisir car mon intuition est que c'est une occasion unique.

On ne cesse de dire que l'Europe va mal. Les citoyens des États qui en sont membres n'y croient plus et ne voient que les contraintes dont les gouvernants, souvent prompts à rejeter la faute sur d'autres, la disent responsable. On peut continuer tranquillement à ce rythme et les uns après les autres, les États européens deviendront la Hongrie, la Pologne ou l'Italie s'ils ne font pas le choix délirant de sortir, comme le Royaume-Uni qui ne sait même pas dire quelles en seront les conséquences et tente d'arracher des délais supplémentaires… Quel rapport avec l'IA me direz-vous ? Eh bien, parce qu'elle va toucher tous les domaines, l'IA peut redonner du sens au projet européen. Construire ensemble un nouveau modèle qui nous permettra de reprendre pied et de peser à nouveau dans le concert mondial. Si l'Europe ne le fait pas, elle va se faire dévorer par les États-Unis et par la Chine qui n'auront aucun état d'âme à nous voir disparaître.

Lentement, trop lentement mais sûrement, l'Union a l'air d'en prendre conscience.

De ce point de vue, l'année 2018 semble être un tournant. En avril, a été adoptée une déclaration sur l'« approche européenne » vis-à-vis de l'IA. Les objectifs : « moderniser les politiques nationales » pour développer la recherche à grande échelle sur le sujet et peser au niveau mondial.

Le diagnostic est le bon : « Les États membres ont un niveau d'excellence dans certains secteurs, mais seuls ils ne peuvent pas faire le poids sur la scène internationale. Pourtant, l'Union européenne peut être une force motrice. » On parle d'investir au moins « 20 milliards d'euros d'ici à 2020 ». Ce serait un niveau comparable à celui de la Chine. Mais quand on regarde dans le détail, c'est un objectif global non contraignant et pas une somme mise sur la table. Pour l'atteindre, les États doivent participer. Emmanuel Macron a annoncé que

1,5 milliard de crédits publics seraient attribués à l'IA sur le quinquennat, dont 400 millions d'euros sous forme d'appel à projets. Les GAFAM ont consacré 58,2 milliards de dollars à la recherche-développement en 2016 ! On ne boxe pas encore dans la même catégorie... et c'est un vrai sujet.

Parce que l'IA, il ne suffit pas de dire qu'on s'en occupe, il faut la faire exister vraiment en France et en Europe. C'est ça le défi de l'IA nation. Un exemple. En janvier 2018, Emmanuel Macron a profité de son voyage officiel en Chine pour faire la promotion des talents français de l'IA. Excellente initiative ! Il s'est dit très favorable au développement d'une collaboration franco-chinoise. Pourquoi pas ! Mais un an plus tard, ce sont surtout des startups françaises qui sont parties en Chine : plus de moyens, plus de facilités. Et quand on voit qu'une note conjointe de la DGSE et de la DGSI alerte sur les techniques d'espionnage utilisées par la Chine, on se dit que mieux vaut y réfléchir à deux fois avant de se jeter dans la gueule du loup. Dialoguer, coopérer, échanger oui, à condition que ce ne soit pas à sens unique et que ce soit totalement contrôlé par nos services de sécurité.

On fait comment pour faire le poids ?

On change de logiciel ! L'IA est brutale ? Soyons-le. Les GAFAM et les BATX se livrent un combat ? Équipons-nous et entrons dans la bataille !

On construit un bouclier

Pour s'en donner les moyens, l'Europe doit commencer par se protéger des géants des autres continents.

Évidemment, il ne s'agit pas de mettre en place un protectionnisme européen qui, *in fine*, se retournerait contre les consommateurs. Interdire Facebook ou l'iPhone n'aurait aucun sens et les utilisateurs hurleraient à juste titre. En plus, on favoriserait la naissance d'un marché noir et chacun utiliserait des réseaux privés virtuels – des VPN – pour accéder aux sites interdits.

En revanche, construire un bouclier, c'est créer les conditions permettant de favoriser les acteurs européens tout en protégeant les utilisateurs. En d'autres termes, limiter les parts de marché des géants du Net là où c'est possible et préparer les batailles de demain.

Comment fait-on ?

On commence par ce que l'on promet depuis des années sans le faire : des réformes fiscales pour rééquilibrer le jeu. Par exemple, arrêter de taxer les bénéfices réinvestis en recherche-développement. Les États-Unis le font et ça marche ; je vous ai dit le montant des investissements des GAFAM. Autre réforme : se mettre enfin d'accord à l'échelle de l'Europe pour taxer les géants du commerce électronique sur le chiffre d'affaires qu'ils réalisent chez nous au lieu de les laisser faire de l'optimisation fiscale. Ce serait déjà pas mal !

Mais cela reste secondaire par rapport au cadre régulateur que l'Europe doit mettre en place. Le combat ne sera pas facile : nous sommes le premier marché des

GAFAM en taille et ils vont se battre pour le défendre. Mais faisons le pari que le rapport de forces sera en notre faveur. L'objectif : réduire leurs parts de marché pour favoriser les intérêts européens. Après tout, Trump n'a pas pris de gants vis-à-vis des Européens – pourtant amis de toujours des États-Unis – lorsqu'il y a vu l'intérêt des entrepreneurs américains. Et je ne parle même pas des dirigeants chinois !

Prenons, par exemple, le Cloud ; je vous en ai parlé. On peut invoquer l'argument de la souveraineté pour interdire à toute entreprise européenne de stocker ses données stratégiques dans un Cloud non européen à partir de 2023. Si on interprète largement le terme « stratégiques », on force de facto les grosses entreprises à stocker sur un Cloud européen une grande partie de leurs données et, de fil en aiguille, elles transféreront définitivement l'ensemble de leurs données pour des raisons pratiques. Résultat de l'opération : on réduit les parts de marché des GAFAM, on garantit la protection des données selon les standards européens et, surtout, on stimule les acteurs européens.

C'est d'autant plus indispensable que les États-Unis ont adopté au début de l'année le « Cloud Act » – Clarifying Lawful Overseas Use of Data Act – qui permet aux forces de l'ordre de contraindre les fournisseurs de services américains à communiquer les données stockées sur leurs serveurs qu'ils soient basés aux États-Unis ou à l'étranger. L'Union européenne s'en est inquiétée. La France est en train de mettre en place un Cloud pour les données des ministères. Il faut accélérer et engager le combat de la souveraineté du Cloud, un élément essentiel du bouclier.

Et on peut décliner le même objectif sur d'autres marchés.

Prenons les distributeurs de contenus vidéo. Si on les taxe, leurs prix augmenteront et c'est le consommateur européen qui sera pénalisé. Alors soyons stratège : interdisons à une plateforme non européenne de distribuer à destination des utilisateurs européens un produit qui n'est pas détenu aussi par une plateforme européenne. Appliqué à la France, Netflix et Amazon seraient obligés de vendre à Orange et Canal les droits de diffusion de leurs programmes exclusifs, tandis qu'Orange et Canal garderaient l'exclusivité sur leurs propres productions. Le consommateur devient gagnant en choisissant un fournisseur européen ! Et il n'y a pas de raison que Netflix refuse : pour s'implanter en Chine, il a dû signer un partenariat avec son concurrent iQiyi, une filiale de Baidu.

Autre proposition : un RGPD à plusieurs vitesses. Le Règlement général sur la protection des données est en vigueur depuis le 25 mai dernier. Beaucoup ont dit que c'était trop tard. C'est vrai. Il n'y avait pas de RGPD quand les GAFAM ont commencé et ils sont maintenant énormes. Les Européens sont microscopiques et bloqués par cette réglementation qui risque de leur interdire de devenir des géants à leur tour. Pour autant, une fois qu'on a dit ça, on ne peut pas regarder que le verre à moitié vide. Le RGPD est une étape majeure dans l'affirmation d'une souveraineté numérique de l'Europe et c'est très bien. Il responsabilise les entreprises européennes en renforçant la protection des données personnelles qu'elles utilisent et en leur imposant des normes contraignantes en matière de gestion et de sécurisation. Mécaniquement, cela freine la pénétration des entreprises américaines ou chinoises sur son marché. Les GAFAM auraient eu moins de facilité si ce texte avait été applicable au moment où ils sont nés et le délai d'adaptation qu'il leur aurait imposé aurait laissé le temps aux entreprises européennes de développer des services compétitifs. La Chine a fait la même chose pour développer ses champions nationaux.

Maintenant, améliorons les choses pour servir les intérêts européens. D'abord, mettons en place une structure dédiée chargée de veiller à l'application de ce règlement par les entreprises, en particulier non européennes. Surtout, décidons d'un système différencié : des normes allégées pour les PME, le régime normal pour les grandes entreprises et des contraintes renforcées pour les entreprises non européennes.

Voilà pour le bouclier. Occupons-nous maintenant des fers de lance.

On soutient nos géants

Laurent Alexandre raille le tweet de Bruno Le Maire qui « propose que l'Europe crée le champion de l'Intelligence Artificielle que les autres pays nous envieront ». Il n'a pas tort. Mais ça ne veut pas dire qu'on doit rester les bras croisés.

Plutôt que vouloir créer un Google, un Amazon ou un Alibaba européen, menons le combat avec les géants que nous avons : les opérateurs de télécom. Eux seuls peuvent résister aux GAFAM et aux BATX et leur position est d'ores et déjà stratégique.

À chaque fois que j'en parle aux spécialistes, ils ricanent en m'expliquant qu'on n'y arrivera pas ! Ne jamais dire jamais !

Ils sont fournisseurs d'accès, donc parmi les rares acteurs structurellement en amont des fournisseurs de services. Ils assurent la connectivité sans laquelle les sites Internet ne peuvent pas fonctionner. Il y a donc déjà un rapport de forces ; les récents démêlés de Netflix et Free l'ont montré.

Par ailleurs, les opérateurs de télécom touchent un très grand nombre d'utilisateurs et les données récoltées par les GAFAM transitent nécessairement par eux, moyennant stockage d'une grande partie d'entre elles. Ils sont donc déjà au centre du jeu. Enfin, ils ont une cote de confiance dans l'opinion, du moins plus que les GAFAM.

Bien sûr, ils ne sont pas interchangeables avec les GAFAM ou les BATX mais ils leur sont indispensables et, à l'échelle de la planète numérique, ça en fait des « géants » en puissance.

Mais pour l'instant, ces géants sont paralysés par la structuration du marché. Rendez-vous compte : 105 opérateurs de télécom en Europe et des marchés et des régulations qui varient tellement que les groupes qui opèrent dans plusieurs pays sont obligés de créer des filiales indépendantes.

Si on veut que ces géants existent, il faut restructurer. Seuls quelques opérateurs sont vraiment présents à l'échelle européenne, et aucun n'a des filiales dans plus d'un tiers des États. Vodafone, Deutsche Telekom et Telefonica forment le trio de tête. Orange, présent dans sept pays, est en quatrième position ; il représente 12,2 % des revenus totaux des opérateurs en Europe[1].

Depuis 2013, l'Europe tente de faire émerger un marché unique des télécommunications. Elle doit être cohérente. Elle ne peut pas à la fois être sceptique quand on lui propose des projets de fusion[2] et vouloir être pionnier dans le déploiement des nouvelles technologies, notamment la 5G. Nos investissements demeurent bien en deçà de ceux de nos concurrents chinois et américains[3].

Je vais mettre les pieds dans le plat : il faut imposer la consolidation des opérateurs de télécom. D'abord en France et ensuite à l'échelle européenne. Pas par la force, bien sûr, mais par des incitations telles que personne n'y résiste. Par exemple, en France, la volonté politique et une intermédiation (avec toute la batterie d'incitations fiscales et réglementaires dont la France est capable) entre les quatre opérateurs (Orange, SFR-Numericable, Bouygues et Free), dont l'ego est incompréhensible vu la gravité des enjeux, pourraient aider à réaliser la consolidation à l'échelle nationale. Ce serait une première étape

1. « Top 10 telecom operators in Europe account for 70 % of revenues », *TelecomPaper*, 20 novembre 2017.

2. David Reader, « At a Crossroads in EU Merger Control : Can a Rethink on Foreign Takeovers Address the Imbalances of Globalisation ? », *European Competition and Regulatory Law Review* 2017 1(2), p. 127-138.

3. Mark Scott, « Mobile World Congress to show why Europe is the world's 5G laggard », *Politico*, 26 février 2018.

sachant qu'il faut mobiliser les autres pays européens et Bruxelles en même temps car la situation est intenable.

Parallèlement, réformons le crédit impôt recherche pour qu'il couvre les acquisitions de startups. Cela encouragerait les opérateurs et ça stimulerait grandement leur capacité d'innovation sur les nouveaux services, en particulier s'ils laissent enfin aux startups qu'ils acquièrent une liberté d'action, au lieu de les intégrer entièrement pour les vider de leur substance[1]. C'est essentiel, car sinon le bénéfice de ces intégrations est réduit à néant.

Devenus des acteurs puissants, les opérateurs de télécom pourront participer activement à la construction d'une Europe de l'IA. Deux exemples pour l'illustrer.

D'abord, ils pourraient développer, au niveau européen, un service de protection et de filtrage des données. C'est l'idée du nouveau cadre de confiance dont je vous ai parlé. Ils en ont les moyens technologiques.

Par exemple, Telefonica, l'opérateur historique espagnol, a développé un assistant virtuel vocal nommé *Aura*. Sa mission : informer les utilisateurs sur le monde obscur des données. Ainsi, ils prennent leurs décisions en connaissance de cause et ils reprennent le contrôle de leur data, puisqu'on leur dit ce que les entreprises vont en faire en évitant le piège des « conditions générales d'utilisation » que jamais personne ne lit. En France, des startups ont des offres comparables. Si les opérateurs de télécommunication s'y mettaient, cela permettrait

1. Paul-François Fournier, *Et si le CAC 40 ubérisait… sa R&D ?*, Digital New Deal Foundation, Rapport d'étude novembre 2017.

d'étendre le champ de protection des données puisqu'ils ont accès à un nombre beaucoup plus important d'utilisateurs. Il faut juste qu'ils acceptent de travailler ensemble et, aujourd'hui, ils le refusent alors que le cadre européen mis en place par le RGPD facilite les choses. La situation confine au ridicule, il suffit de penser, en France, à la décision stupide d'accorder une quatrième licence... Car en rajoutant un opérateur, on a enclenché une guerre des prix (en confondant consommateurs et électeurs) qui a conduit à une baisse des investissements alors que les technologies nécessitent beaucoup d'argent.

Et, puisque les données sont le carburant de l'IA, on pourrait en même temps en ouvrir l'accès en mettant à la disposition des chercheurs et des entreprises européennes l'intégralité des données publiques disponibles dans l'Union d'ici 2020. Ça permettra à l'IA européenne de progresser.

Autre piste : la Fintech. C'est la prochaine conquête du numérique. Les banques, Visa et autres champions de la finance d'aujourd'hui ont peu de chance face à Google, Amazon ou Tencent. Le but n'est pas de sauver les banques mais de garder des champions européens.

La première bataille est celle du paiement. Aujourd'hui, en Occident, la majorité se fait par carte bancaire selon un principe simple : Visa ou Mastercard certifie au marchand que le consommateur a suffisamment sur son compte pour payer mais la transaction a lieu plus tard, lorsque la banque du consommateur aura effectivement envoyé l'argent sur le compte du marchand. Les nouvelles technologies – tel l'*instant payment* ou paiement instantané – rendent archaïque ce procédé. Puisqu'on a tous des téléphones portables, pourquoi continuer à avoir une carte de crédit ? Tencent et Alibaba ont révolutionné le marché des paiements chinois avec WeChatPay et AliPay : plus de 7 transactions sur 10 sont faites avec ces services et moins d'1 sur 10 avec une carte. Pareil en Afrique : elle est même le leader mondial du marché du *mobile money*.

Amazon et Facebook ont décidé de lancer respectivement Amazon Pay et WhatsApp Pay pour s'attaquer au marché. Aux États-Unis, les habitudes sont en train de changer. L'Europe est le plus gros marché du monde, il n'y a pas de raison qu'elle se laisse à nouveau engloutir par les GAFAM. Nous avons une solution radicale : interdisons les paiements mobiles contrôlés par des entreprises non européennes. Les GAFAM vont hurler mais les consommateurs ne seront pas pénalisés puisqu'ils n'utilisent pas ce moyen. En revanche, mettons la pression sur les opérateurs européens pour qu'ils développent un service bancaire performant sur mobile. Orange est le champion du secteur en Afrique ; qu'il investisse sur le marché européen !

On a nos champions désignés ; suscitons des vocations !

On enrôle les PAREO[1]

On ne créera pas à l'échelle de l'Europe des concurrents crédibles aux GAFAM et aux BATX. Mais, il n'y a

1. Fabrice Lamirault, « Après les GAFA américaines, voici les PAREO françaises », *Les Échos*, 7 mai 2018.

pas de raison de décourager les bonnes volontés ou de ne pas chercher à en susciter.

Les géants du Net ont beau nous impressionner, ils sont peut-être plus fragiles qu'il n'y paraît. La preuve, on a commencé par parler des GAFA (Google, Amazon, Facebook, Apple) puis des GAFAM lorsqu'ils ont été rejoints par Microsoft. Certains pensent qu'il faudrait y ajouter le N de Netflix, voire le substituer au A d'Apple. D'autres évoquent les NATU (Netflix, Airbnb, Tesla, Uber). Mais les mêmes pronostiquaient depuis deux ans que Microsoft allait sombrer et, cette année, on apprend qu'il redevient la deuxième plus grosse capitalisation mondiale avec 714,4 milliards de dollars, derrière Apple mais devant Google et Amazon. Quant à Facebook, réputé indéboulonnable, il est sérieusement ébranlé depuis le scandale d'exploitation de données personnelles de l'affaire Cambridge Analytica. Le marché est volatil. On ne voit pas pourquoi un acteur européen ne pourrait pas s'imposer. Quelques années en arrière, personne ne pariait sur l'avenir des BATX et en 2017 Tencent a dépassé Facebook en bourse.

Ça plaide pour améliorer les dispositifs de financement de nouvelles structures qui voudraient se créer. En France, nous avons quelques « licornes » : Blablacar ou Criteo. Il en faut davantage. La BPI accompagne de manière efficace le lancement de startups mais, ensuite, lorsqu'elles ont atteint leur rythme de croisière, les dispositifs sont insuffisants, voire inexistants. Et, puisque l'union fait la force, soutenons la création de startups vraiment européennes.

Même chose pour nos grandes entreprises qu'il faut inciter à prendre le virage du numérique. C'est faute de l'avoir compris que des grandes boîtes ont fait faillite, y compris aux États-Unis. Voyez Kodak. Elle n'a pas vu que les photos sur smartphone allaient tuer les tirages papier et les albums photos traditionnels avec papier-calque et coins autocollants. Elle a fini par se reconvertir mais après avoir touché le fond. Nos entreprises ne doivent pas commettre la même erreur.

Prenez les PAREO – PSA Automobiles, Airbus, Renault, EDF et Orange –, ce sont les cinq entreprises les plus fortes de l'économie française d'après un classement national VERIF-BFM TV. Ils ont initié une dynamique de diversification. Il faut les aider.

PSA a lancé en 2016 un plan, Push-to-Pass 2021. Objectif : devenir un « fournisseur de solutions de mobilité », un virage déjà pris par certains de ses concurrents, parmi lesquels Ford ou BMW. Comment : en développant l'autopartage[1], la vente de véhicules d'occasion[2] et le partage de données, notamment en lien avec IBM, sur le trafic, le déclenchement des ABS…

Même chose pour Renault qui s'est alliée à Nissan et Mitsubishi pour travailler sur sa créativité avec des startups dans cinq domaines : les nouvelles mobilités,

1. Il a lancé, début 2017, une application Free2MoveApp qui rassemble les services d'autopartage d'une vingtaine d'opérateurs (voitures, scooters, vélos) dans plusieurs pays et qui compte aujourd'hui 1 000 000 d'utilisateurs. D'ici fin 2018, il veut offrir un service Free2Move Paris, une flotte de 500 véhicules électriques en autopartage et free floating (après Madrid et Lisbonne).

2. Carventura, une plateforme de vente entre particuliers.

l'électrification, les systèmes autonomes, la connectivité et l'IA. Elle veut notamment développer ses services de mobilité et de maintenance prédictive et va également lancer une flotte de 500 ZOE à Paris. Fin 2017, elle est devenue actionnaire, à hauteur de 40 %, du magazine *Challenges*.

Airbus a remporté un contrat de la NASA pour l'envoi de la première capsule habitée au début des années 2020 ; le projet s'appelle Orion. EDF a créé une filiale « Nouveaux business » il y a un an pour investir dans des startups dans le cadre d'un programme de transition énergétique : 40 millions dans 10 projets en moins de 2 ans. Et elle veut s'attaquer à l'efficacité énergétique, l'*energy cloud* (pilotage de système, intermittence dans la production électrique), la *smart city* et les maisons connectées, l'ingénierie et la déconstruction, notamment dans le secteur du nucléaire et la mobilité électrique avec les recharges intelligentes.

Et puis, enfin, Orange. En 2015, elle a présenté un nouveau plan stratégique « Essentiels 2020 » qui repose sur cinq leviers : une connectivité enrichie ; réinventer la relation client ; construire un modèle d'employeur digital et humain ; accompagner la transformation du client entreprise ; se diversifier en capitalisant sur les actifs. L'objectif : permettre à la compagnie de se forger une image d'« entreprise digitale, efficace et responsable » d'où la mise en place d'une stratégie d'*open innovation* avec pour ambition de collaborer avec 500 startups d'ici 2020. Quant à Orange Bank qu'elle a lancée en novembre 2017, elle connaît un certain succès.

La preuve est faite : quand on veut on peut ! Il faut valoriser ces initiatives et faire en sorte qu'elles se poursuivent.

On sauve la planète

Et puis il y a un autre terrain, dont je ne vous ai pas encore parlé et sur lequel les potentialités de l'IA sont immenses : la protection de l'environnement. Et à cet égard aussi il y a urgence, comme si les grands sujets du siècle à venir étaient systématiquement victimes de l'aveuglement des gouvernants.

L'environnement, tout le monde en parle !

Alors on fixe des normes, on affirme des principes – à commencer par le principe de précaution – et puis on pleure sur le fait qu'on n'a pas atteint les objectifs qu'on s'était fixés. Regardez, dans le projet de révision constitutionnelle que le gouvernement actuel veut voir adopter, on prévoit d'inscrire dans la Constitution la préservation de l'environnement et de la biodiversité et de dire que le législateur œuvre en ce sens et contre les changements climatiques. On peut être sensible au symbole, mais ça ne va rien changer concrètement.

En revanche, l'IA nous offre des moyens de préserver effectivement l'environnement et, sans doute, de sauver la planète.

Bien sûr, certains défendent l'idée que l'IA a un coût environnemental significatif. C'est vrai puisque les algorithmes et les robots sont consommateurs d'énergie. Mais les chercheurs travaillent déjà à rationaliser cette consommation parce que l'IA a la capacité de s'autoréguler. Par exemple, Google a annoncé avoir réussi à réduire de 40 % sa consommation d'électricité sur le refroidissement de ses serveurs en 2016 grâce à une IA qui ajuste la gestion de l'énergie en temps réel.

Mais surtout, l'IA peut, en matière de protection de l'environnement, tout changer. Elle est déjà en train de le faire.

Il y a les projets de *smart cities* dans lesquelles on sera capable de réduire la consommation d'électricité à l'échelle d'une ville entière en tenant compte des données sur l'utilisation et la consommation.

Plus largement, l'IA pourrait être une façon très concrète de sauver la planète. Par exemple, prenez les expérimentations en cours en Californie. Cet État connaît régulièrement la sécheresse et des incendies ravageurs. Par ailleurs, l'exploitation pétrolière a conduit à la diminution des nappes phréatiques qui sont largement polluées. Une startup a mis en place un dispositif d'IA qui, s'il donne satisfaction, pourrait être révolutionnaire. Il s'agit d'un système de traitement des eaux usées, y compris lorsqu'elles sont polluées par des substances chimiques, qui permettra d'utiliser l'eau pour l'agriculture et l'une de ses caractéristiques est de s'adapter en temps réel afin de tenir compte des besoins en arrosage et des prévisions météorologiques.

Et des techniques comparables sont en cours d'élaboration pour lutter contre le réchauffement climatique, le gaspillage alimentaire ou la pollution des océans.

Les géants du secteur ne s'y trompent pas et, par exemple, Microsoft a lancé, en juillet 2017, un programme « *AI for Earth* » qui vise à démocratiser l'accès aux données climatiques en mettant des algorithmes à la disposition des chercheurs, des ONG et des entreprises spécialisés dans ce secteur.

Il faut arrêter de se payer de mots. Ce n'est pas avec des grands principes que l'on répondra à l'urgence environnementale. Donnons-nous les moyens d'agir et faisons du développement de l'IA dans ce secteur une priorité.

On crée une nouvelle armée

Mais l'IA est aussi un enjeu de défense et de sécurité. Laurent Alexandre parle d'une « nouvelle guerre ». Je vous propose de créer une nouvelle armée !

Les potentialités de l'IA en la matière sont immenses. Elle peut permettre de rationaliser l'organisation des services de secours, sauver des vies en évitant les erreurs humaines, mais aussi faciliter des cyberattaques et même mener des combats sans soldats sur le terrain en recourant à des armes autonomes. Tout cela n'est pas de même nature. Dans ce domaine aussi, l'IA va être une révolution.

Les États-Unis, la Chine et la Russie ont lancé de gigantesques programmes de recherche sur le sujet. Leur objectif : remplacer les soldats par des machines. Nous n'en sommes pas encore là mais penser l'IA nation oblige à l'anticiper.

C'est normal : toutes les grandes inventions ont eu des répercussions sur la défense et la sécurité. Depuis mille ans, les États disposent de deux armées : l'armée de terre et la marine ; il y a cent ans, avec la naissance de l'aviation, une troisième a été créée : l'armée de l'air. Nous avons dix ans pour inventer la quatrième, celle de l'IA : l'armée cyber.

La France a de réels atouts pour jouer un rôle important : un bon niveau scientifique, un écosystème de 200 startups spécialisées et des grandes entreprises reconnues mondialement[1]. Mais, une fois encore, ce qui nous manque c'est la data.

Il faut donc enclencher une dynamique européenne. Le reste du monde est en train de se réarmer mais l'Europe de la défense et de la sécurité est balbutiante : profitons de l'IA pour la faire exister !

Commençons par construire une armée numérique.

L'organisation de nos armées est devenue obsolète car elles ne se sont pas assez rapidement adaptées au numérique et aux nouvelles technologies. Certes, des efforts ont été faits : par exemple, le programme « *Man Machine Teaming* » (MMT) confié à Dassault et Thales avec un budget de 30 millions d'euros. Il porte sur des capteurs intelligents, les capacités de vol autonome ou les technologies d'identification automatique de radars ou d'armement, l'objectif étant de disposer de technologies civiles qui seront ensuite militarisées. Et la ministre des Armées, Florence Parly, a dévoilé un plan sur l'IA de la défense.

1. Atos qui développe déjà des systèmes de pointe en matière de défense, Dassault Systèmes qui s'est spécialisé dans la conception de logiciels 3D, Thales, un groupe d'électronique spécialisé dans la défense, la sécurité et le transport terrestre et MBDA, leader européen dans la conception des missiles.

Les moyens annoncés sont importants – 100 millions d'euros investis annuellement et le recrutement de 50 experts en IA d'ici à 2022 –, mais ils restent très en deçà des besoins.

Si elles veulent rester compétitives, nos armées doivent investir massivement dans l'IA, comme les États-Unis, la Chine et la Russie. Et le retard de l'Europe est préoccupant. Pour un seul type d'armement aux États-Unis, elle dispose en moyenne de six équipements[1]. En cause, la quasi-inexistence de structures de recherche et d'investissements communes et la lenteur quand il s'agit de décider. Pensez, la « coopération structurée en matière de sécurité et de défense » qui permet de mutualiser les projets d'équipement militaires devait voir le jour en 2010 ; elle a enfin été réalisée à la fin de l'année 2017.

Quelques projets sont annoncés : des drones sous-marins semi-autonomes et un système autonome de surveillance et de protection des ports européens[2]. Un autre, soutenu par l'Agence européenne de Défense, est prévu pour 2025 : un drone MALE, issu d'un partenariat entre l'italien Leonardo, Airbus et Dassault, qui sera capable de mener des missions de surveillance et de cartographie[3]. Il faut accélérer !

---

1. Mark Leonard and Nobert Röttgen, « A new beginning for European Defence », *ECFR*, 14 février 2018.

2. Pierre-Alexandre Angland et Joaquim Puyeo, « Rapport d'information sur l'Europe de la Défense », *Commission des Affaires européennes de l'Assemblée nationale*, mars 2018, p. 32

3. « Le programme de drone MALE RPAS (Medium Altitude Long Endurance Remotely Piloted Aircraft System) décolle », *Dassault Aviation*,

Il ne faut pas hésiter à développer les technologies qui permettent d'épargner la vie de nos soldats. D'ici 2030, passons au « tout robot », c'est-à-dire des équipements militaires sans humain embarqué et pilotés à distance.

Mais ce n'est pas tout. Si l'IA doit entrer dans nos armées traditionnelles, il faut aussi créer une quatrième armée dédiée : une armée cyber qui protégera les intérêts nationaux contre les cyber attaques. Encore une fois, ce n'est pas de la science-fiction. En décembre 2016, des hackers ont attaqué le réseau de distribution électrique ukrainien, plongeant la moitié des foyers de la région d'Ivano-Frankivsk (1,4 million d'habitants au total) dans l'obscurité. Ce type de menaces et d'attaques va aller croissant puisque les moyens de les mener se développent sans cesse. Il faut nous adapter !

Idem pour la sécurité intérieure et il y a plusieurs fronts.

La cyber criminalité se développe ; développons des logiciels de *deep learning* pour lutter contre les fraudes bancaires ou les usurpations d'identité. Pour les affaires classiques, faisons entrer l'IA dans la police technique et scientifique et utilisons la vidéo intelligente. Le chantier est engagé, mais il demande des moyens et surtout des objectifs clairement identifiés. Lançons un « Programme numérique pour la sécurité intérieure » qui comporterait cinq axes : l'amélioration des systèmes de communication ; la protection des personnels et des infrastructures ;

---

28 septembre 2016 ; Pascal Samama, « Ce que l'on sait du MALE, le drone militaire européen dévoilé à Berlin », BFM Business, 2 mai 2018.

le développement des enquêtes numériques ; la numérisation des interventions et l'anticipation des événements et la gestion des crises.

Et profitons-en pour créer une Agence de renseignement numérique.

Enfin, l'IA permet de contrôler efficacement les frontières extérieures de l'Europe : érigeons une frontière numérique européenne.

Inutile de dire à quel point la question est importante ; elle doit être une priorité absolue. La Commission européenne a proposé un triplement du budget alloué aux frontières et à la migration à partir de 2021 : 34,5 milliards d'euros pour la période 2021-2027 contre 13 actuellement, alors que le Brexit va nous priver de contributions importantes. Mais les moyens ne changent pas : certes, on multipliera par huit le nombre des agents Frontex pour atteindre 10 000 hommes en 2027 mais les frontières demeurent gérées par les États.

L'IA peut nous rendre plus efficaces si nous déployons des capteurs numériques et des drones de surveillance aux frontières extérieures et si nous développons la reconnaissance faciale pour mettre en place un passage frontières numérique dans les différents États membres. On pourra ainsi mieux contrôler nos frontières et intervenir plus rapidement.

Et voilà comment on assoit la souveraineté numérique de l'Europe.

On lance un « G3 numérique »

La dernière étape pour peser dans l'univers que l'IA va façonner, c'est d'engager le dialogue avec les autres. Une fois que l'Europe fera le poids, il lui restera à organiser la réunion du Yalta : un « G3 numérique ».

L'objectif : réunir autour d'une même table ceux qui font l'IA, c'est-à-dire les États-Unis, la Chine et l'Europe mais aussi les GAFAM, les BATX et nos propres géants. Il ne s'agit pas de reconnaître qu'ils sont souverains au même titre que les États. Mais on ne peut pas avancer sans eux puisque l'IA c'est eux. Et comme on a des vrais moyens de pression (fiscal, réglementaire, etc.), ils viendront car ils ont autant que les États intérêt à ce que des règles du jeu soient établies.

La mission du G3 : définir ensemble les règles pour permettre de progresser de manière équilibrée, dans le respect de quelques grands principes et dans un souci de concurrence loyale.

C'est ça le Yalta de la souveraineté ! Et c'est indispensable pour enrayer le risque inégalitaire qu'engendre l'IA.

Enrayer le risque inégalitaire : Karl Marx, réveille-toi !

Gare au naufrage !

Même ses plus fervents partisans le disent : l'IA risque de créer de nouvelles inégalités. Il ne faut pas prendre ce risque à la légère. C'est aux politiques de s'en préoccuper et il y a plusieurs sujets.

Chez moi, ça passe pas !

Face à l'IA, la première des inégalités est celle de l'accès à Internet.

La couverture Internet est encore parfois insuffisante dans certaines portions du territoire, en particulier les zones rurales en France, et c'est vrai ailleurs en Europe. Si on veut que chacun puisse accéder à l'IA, il faut commencer par permettre à chacun de se connecter avec un niveau de qualité – la bande passante – suffisante pour pouvoir bénéficier de tout ce que l'IA a à nous offrir.

De nombreux progrès ont été faits pour réduire la « fracture numérique ». Si l'on en croit l'ARCEP, en 2016, 85 % des Français avaient un accès à Internet, contre 65 % en 2010. Mais il y a encore beaucoup à faire pour que l'ensemble du territoire puisse bénéficier de la 4G, et plus tard de la 5G, et assurer la continuité numérique du territoire. Si on ne s'en donne pas les moyens, l'IA restera un privilège des urbains et on va encore creuser les inégalités.

Prenons un exemple. Je vous ai déjà dit ce que l'IA peut nous apporter sur le plan médical. C'est vrai où que l'on habite mais sans doute plus encore dans les territoires où il y a de moins en moins de médecins et, structurellement, pas de spécialistes. Faire des diagnostics à distance deviendra une nécessité ; ce serait quand même un comble d'en être privé juste parce qu'on n'est pas capable de mettre en place un réseau haut débit ou parce qu'un orage le mettrait hors d'usage pendant des semaines. Il faut mettre le paquet sur le sujet.

Ça bénéficiera aux utilisateurs mais ça évitera aussi que l'IA se développe uniquement dans les grandes villes. Car là est l'autre risque d'inégalité territoriale que certains commencent à pointer. « Que les activités de production se concentrent dans des centres urbains de taille suffisante pour bénéficier des externalités de réseau », parce que l'IA « suppose de réunir des facteurs de production localisés principalement dans les métropoles (capital humain, R & D, capital physique, écosystème) »[1].

---

1. Rapport du groupe de travail co-piloté par Rand Hindi et Lionel Janin, *Anticiper les impacts économiques et sociaux de l'Intelligence Artificielle*, France Stratégie et Conseil national du Numérique, mars 2017.

Une fois encore, ce sont les opérateurs de télécom qui sont en première ligne car ils sont les seuls à pouvoir assurer la fiabilité de l'accès à Internet. Les renforcer est un enjeu de souveraineté numérique mais aussi économique. Et, une fois que nous aurons été capables de mettre en place une couverture Internet de qualité, nos géants pourront en faire une marque de fabrique et devenir les champions sur d'autres continents. Il ne faut pas avoir de complexe sur le sujet. Beaucoup de pays très avancés sur le numérique ont une couverture médiocre. Quiconque est allé une fois aux États-Unis sait que, même à New York, Internet n'est pas partout aussi rapide qu'on pourrait le penser, alors imaginez au fin fond du Midwest, dans le Minnesota ou le Wisconsin.

Et puis, plus proche de nous, il y a un continent avec lequel nous avons des liens que Laurent Alexandre a raison de rappeler et dont nous sommes en train de laisser le marché qu'il représente devenir un gigantesque terrain de jeu pour la Chine : l'Afrique. Elle a, plus que les autres, un intérêt au développement du numérique et de l'IA. Je vous ai déjà dit que c'était sans doute le marché le plus prometteur du monde mais, bien sûr, rien de possible sans une couverture numérique homogène sur l'ensemble du territoire. C'est vital pour l'Afrique et déterminant pour l'Europe.

Arrête Papa, t'y comprends rien ! Laisse-moi faire

Une autre forme d'inégalité est générationnelle. On en parle moins et pourtant c'est le terreau d'une révolution sociologique.

D'abord, tordons le cou aux idées reçues et arrêtons de dire que nos aînés sont dépassés par Internet. C'est vrai pour certains mais comme chez les plus jeunes. Il y a des gens qui ne veulent pas en entendre parler, il y en a même qui refusent d'avoir un téléphone portable et ce n'est pas uniquement une question d'âge. D'ailleurs, de très nombreux grands-parents se sont mis à Internet ne serait-ce que pour échanger avec leurs enfants et leurs petits-enfants. Ils s'envoient des photos, visionnent les vidéos des premiers pas du petit dernier et vont sur Skype quand les grands sont à l'étranger pour leurs études, un stage ou des vacances. Et puis au quotidien, c'est tellement plus simple pour se faire livrer des courses lourdes que l'on aura du mal à porter ou acheter un livre ou un disque sans faire des kilomètres pour se rendre dans le magasin qui le vend. Nos aînés sont bien plus connectés qu'on ne le dit !

Bien sûr, l'IA c'est autre chose. Ils la comprennent peut-être moins bien et risquent de ne pas en bénéficier autant alors que, pourtant, elle va augmenter l'espérance de vie. C'est un paradoxe et il faut y être attentif.

Mais la révolution numérique a entraîné un bouleversement des relations entre les générations et celle de l'IA va l'approfondir.

Nos aînés, je devrais dire « nous les aînés », ne sommes pas nés avec le numérique, nous nous y sommes mis. Et, ce qui change tout, c'est que nos enfants nous y ont aidés… et que donc, pour la première fois dans l'histoire de l'humanité, on peut craindre – cauchemar absolu ! – que les enfants prennent l'ascendant sur les parents.

Soyons concrets : on ne dit pas de la même manière à son fils d'aller ranger sa chambre quand on a besoin de lui pour rétablir son compte Netflix. On ne dit pas à sa fille « on en reparlera quand tu auras ton bac » alors qu'on a besoin d'elle pour « refaire marcher » Internet. En d'autres termes, le pilier de l'autorité des parents – comme des professeurs – c'était le savoir. « Tais-toi, tu ne sais pas ! » Voire le célébrissime « Tu es trop jeune – ou pire, trop petit – pour comprendre ». Tout cela a volé en éclats avec la maîtrise du savoir numérique qui a modifié le rapport de forces !

Et la génération née dans le numérique n'a pas le même rapport au monde que nous à leur âge.

Avant, il fallait commencer par savoir lire pour apprendre ; le numérique a inventé un univers intuitif dans lequel on se déplace à l'instinct en touchant une image ou un symbole sur un écran. Avant, on écoutait religieusement son prof parce qu'il savait des choses ; maintenant, on vérifie en temps réel si ce qu'il dit est vrai. C'est le monde du fact-checking et, croyez-moi, quand on fait de la politique, on se rend compte au quotidien de ce que ça veut dire ! Avant, quand on était plus âgé, on avait la légitimité de l'expérience ; aujourd'hui, c'est presque devenu un handicap, parce qu'on raisonne selon d'anciens modèles.

Je ne suis pas en train de vous dire que tout est foutu et que nous n'y survivrons pas. Simplement, il faut avoir ça à l'esprit pour comprendre ce qui se passe et ce qui nous attend demain.

La génération Y n'a pas le même rapport à l'autorité, parce que ceux qui l'incarnent n'ont plus la même légitimité. Ça explique beaucoup de choses. Par exemple, que les jeunes diplômés soient davantage tentés par la création de leur propre entreprise, même toute petite, que par le salariat, parce qu'ils se sont persuadés qu'ils ne sont pas faits pour avoir un patron. Ils ne supportent pas l'idée d'avoir une hiérarchie et ne voient pas pourquoi un type plus âgé viendrait leur donner des ordres, qui plus est sans leur expliquer pourquoi. Et ils n'ont pas de temps à perdre, donc pas le temps d'attendre leur tour ! Même logique : acheter une voiture ou même passer son permis n'est plus un symbole d'indépendance et de liberté ! C'est tellement plus simple de comparer les moyens qui permettent de se déplacer et, si c'est la meilleure solution, de louer une voiture ou d'opter pour le covoiturage. Notre monde est devenu horizontal, c'est le propre des réseaux. Et du coup, toute verticalité est perçue comme de l'autoritarisme.

J'avoue être incapable de mesurer si cette déconstruction de l'autorité est l'effet d'une mode que la génération suivante défera avec zèle ou si c'est une tendance irréversible. Mais on ne pourra pas réussir l'IA nation si on ne la prend pas en compte. C'est une formidable opportunité de faire les choses ensemble mais différemment.

Tout ça, c'est biaisé

On le dit de plus en plus parce que, au fur et à mesure que l'IA se déploie, on le constate : l'IA a des biais. Laurent Alexandre y voit la preuve de sa « bêtise ». Tant mieux pour nous, les humains !

Un biais, c'est un chemin de traverse, l'erreur de parcours du raisonnement que l'on pensait imparable et qui conduit à une conclusion erronée. Lorsque c'est un algorithme qui « raisonne », il tire la mauvaise conclusion des éléments qu'il analyse parce qu'on l'a nourri avec des informations inconsciemment ou sciemment orientées.

Bilan des courses, quand il y a un biais, la décision rendue de manière automatisée par l'IA comporte un risque d'erreur et spécialement pour les populations les plus fragiles.

Le site de l'Atelier BNP Paribas, société de prospective et d'innovation qui accompagne le groupe bancaire dans sa transformation digitale, parle même d'« usine à inégalités ». Il rapporte entre autres une interview de Virginia Eubanks, auteur d'un livre intitulé *Automating Inequality* (Automatiser l'inégalité), dans laquelle elle raconte l'anecdote qui l'a incitée à l'écrire. Elle avait eu un échange avec une mère américaine bénéficiaire d'une aide publique et porteuse d'une carte EBT – *Electronic Benefits Transfer Card* – qui remplace les tickets d'alimentation qui étaient auparavant distribués aux allocataires. « On pense que ces cartes EBT sont une bonne chose car les porteurs sont moins stigmatisés lorsqu'ils payent leurs achats aux caisses des magasins. Plutôt que d'avoir à donner des tickets d'alimentation, ils payent avec une carte, comme n'importe qui. Or ce que cette allocataire m'a confié, c'est que ces cartes sont certes une bonne chose, mais elles permettent aussi de tracer tous ses achats » et, le cas échéant, de lui supprimer son allocation si elle a utilisé sa carte pour acheter un produit qui n'est pas considéré comme « bon ». C'est une forme de contrôle social et, d'ailleurs, le gouverneur de l'État en question a essayé, sans succès, de faire adopter un texte qui exclurait de l'aide sociale ceux qui l'auraient utilisée pour acheter de l'alcool ou du tabac.

Et puis il y a aussi les biais induits par les données dont on nourrit l'IA. Le robot qui a un comportement raciste parce que les datas qu'on lui a transmises le sont.

On sait comment cela arrive. Laurent Alexandre l'explique dans la note de l'Atelier BNP Paribas : les « concepteurs ont mal évalué la complexité du tissu social et leurs algorithmes provoquent des effets secondaires contraires à ceux initialement recherchés ».

Évidemment, lorsque l'IA deviendra courante en matière médicale, juridique ou dans le secteur bancaire, on voit bien les conséquences désastreuses que cela pourrait avoir. La bonne nouvelle, c'est que ce n'est pas l'IA la responsable : ce sont les humains qui la programment. Elle ne fait que reproduire les biais de ceux qui l'ont conçue. Une fois qu'on en est conscient, il faut la

« débiaiser ». Raison de plus pour se mettre d'accord sur des règles communes et réfléchir aux moyens d'enrayer les déviances de notre perception du monde.

D'ailleurs les juristes commencent à s'en préoccuper qui voient bien les problèmes que l'IA va poser, notamment en termes de responsabilité. « On peut briser des vies avec un algorithme mal conçu »[1] au point que certains ont créé une Association du droit des robots !

Décidément, l'IA va nous obliger à nous interroger sur nous-mêmes. Et ça montre aussi à quel point nous devrons la superviser.

On va tous finir au chômage

Autre sujet, des rapports le disent et les journaux en font leurs gros titres : la principale menace de l'IA concernerait le travail. Pour le dire simplement, avec son avènement, nous finirions tous au chômage et, la preuve, les géants de l'IA sont tous favorables au revenu universel parce que cela permettrait d'éviter une révolte sociale !

On dit moins qu'il y a autant de rapports – et parfois ce sont les mêmes – qui prédisent l'inverse et démontrent que l'IA va créer de l'emploi. Des emplois nouveaux, reconfigurés pour s'adapter à la révolution.

Qu'importe, puisque nous en sommes à identifier les problèmes, rappelons pourquoi il y a tant de craintes au

1. Alain Bensoussan, « Comme pour les humains, le droit des robots s'imposera comme un droit naturel », *L'Opinion*, 17 octobre 2018.

sujet de l'emploi. Je vous dirai tout à l'heure comment éviter le naufrage.

Au cœur du mois d'août, cherchant sans doute à nous sortir de la torpeur de l'été, *Le Parisien-Aujourd'hui en France* titrait sur les « *métiers qui disparaissent* » à cause de l'IA. Il chiffrait à 2,1 millions le nombre d'actifs qui seraient remplacés par l'IA dans les prochaines années et identifiait les cinq métiers les plus menacés : employés de la banque et des assurances, employés de la comptabilité, caissiers et employés de libre-service, secrétaires de bureau et de direction et, enfin, ouvriers de la manutention. En moyenne, il estimait que le tournant se ferait dans les années 2050.

En 2013, deux chercheurs de l'Université d'Oxford ont publié un rapport sur les métiers dans lesquels l'humain peut le plus facilement être remplacé par un robot[1]. Ils en ont examiné 702 de manière détaillée et, d'après eux, aux États-Unis – qui sont leur terrain d'étude –, 47 % des emplois sont concernés à échéance de 20 ans. Et pour 158 d'entre eux, ils estiment que la probabilité est supérieure à 90 %. Je ne vais pas vous donner toute la liste mais ça va des assistants juridiques aux ouvriers qui assemblent des composants électroniques en passant par les bookmakers et les inspecteurs des impôts…

Une autre étude, menée par une entreprise de robotique – Redwood Software – et un spécialiste des

1. Carl Benedikt Frey and Michael A. Osborne, *The future of employment : How susceptible are jobs to computerisation ?* [Le futur de l'emploi : quels sont les métiers les plus susceptibles d'être numérisés ?]

études de marchés – Sapio Research – et publiée en octobre 2017, évalue à 60 % d'ici 2022 le taux d'entreprises qui seront touchées par l'automatisation.

Je pourrais continuer l'énumération mais arrêtons-nous là et faisons deux constats. Selon les sources, le volume, l'échéance et la nature des emplois touchés varient. En revanche, tous s'accordent : le bouleversement va être gigantesque.

Serons-nous pour autant tous au chômage ? Sans doute pas, mais il va falloir s'adapter. En 2016, Bill Gates affirmait que dans un marché du travail toujours plus technologique, nous aurions besoin d'avoir trois compétences : « la science, le génie et l'économie ». C'est une manière de frapper les esprits.

Et oui, des métiers peuvent disparaître ; c'est déjà presque le cas ! Par exemple, prenez les prothésistes dentaires. Ils fabriquent des prothèses – des couronnes, des bagues, des appareils dentaires – à partir d'empreintes prises par un dentiste en façonnant des moules auxquels ils adaptent du métal, de la céramique ou des composites. Nous en aurons toujours besoin, bien sûr. Mais que vont-ils devenir alors que désormais le dentiste peut directement fabriquer la prothèse avec une imprimante 3D ? Idem pour les radiologues, puisque les machines sont aujourd'hui mieux à même d'analyser un scanner.

Donc, la solution pour ne pas disparaître et que l'IA ne soit pas un naufrage, c'est une grande remise à niveau.

La grande remise à niveau

On retourne tous à l'école

La première des choses pour construire l'IA nation, c'est que tout le monde y soit formé. Apprendre l'IA, c'est être capable de l'utiliser.

Et former, c'est avant tout expliquer ce qu'elle est, sans cesse et à tout le monde, pour que chacun comprenne ce qu'elle va changer et pourquoi il faut s'y adapter. C'est la clef pour éduquer.

Parce qu'il va falloir éduquer à l'IA. À l'école d'abord, dès le plus jeune âge, mais aussi tout au long de la vie et y compris ceux qui l'auront apprise tout petits parce que l'IA va tellement évoluer que même eux devront en permanence se mettre à jour.

C'est un des chevaux de bataille de Laurent Alexandre. Il y a consacré un livre[1] et il en reparle dans celui-ci. Il a raison sur de nombreux points ; je veux juste vous dire quelles sont, de mon point de vue, les priorités.

Il faut faire entrer l'IA à l'école de plusieurs manières !

D'abord, l'utiliser pour mieux enseigner.

On parle beaucoup de l'IA pour lutter contre l'analphabétisme dans les pays en voie de développement. En septembre 2017, Elon Musk a fait don de 15 millions de dollars à Global Learning XPRIZE, une fondation

1. Laurent Alexandre, *La Guerre des intelligences. Intelligence Artificielle versus Intelligence Humaine*, *op. cit.*

qui développe un logiciel qui permettrait aux enfants âgés de sept à dix ans d'apprendre les bases de la lecture, de l'écriture et du calcul, sans l'aide d'un adulte et en seulement quinze mois. Évidemment, si ça marche, c'est formidable.

Mais, en France, c'est l'« école IA » qu'il faut imaginer.

L'IA permet d'automatiser les enseignements de base, de s'adapter aux besoins des élèves, d'aider les enseignants à améliorer leurs cours. Bien sûr, cela suppose un effort d'équipement important mais je me réjouis tous les jours d'avoir initié ce programme dans les écoles primaires de Meaux. C'est aussi une révolution culturelle de la part des enseignants qui ont dû, eux-mêmes, être formés à l'IA et accepter de faire évoluer leur manière d'enseigner. Tous les parents qui ont plusieurs enfants savent qu'ils n'apprennent pas tous de la même façon. Certains sont sensibles à l'écrit, d'autres à l'oral ; certains ont d'emblée un esprit de synthèse, d'autres sont plus analytiques. Il y a des mots ou des problèmes que les uns ne comprennent pas, pas parce que les enfants sont idiots mais parce que ce qu'on leur soumet est trop abstrait. Alors évidemment, face à une classe de 25 ou 30 gamins, l'enseignant fait ce qu'il peut, c'est-à-dire certainement pas un enseignement individualisé. Personne ne le lui reproche ; l'IA va le lui permettre.

Si un élève révise avec l'IA, celle-ci sera capable d'identifier les erreurs qu'il fait de manière répétée et, parce qu'on l'aura programmée pour ça, de lui offrir une réponse adaptée en sollicitant chez lui ce qui lui permet d'apprendre, en lui posant les questions d'une manière qui va l'intéresser. Nous ne sommes pas tous fans des robinets qui gouttent et des baignoires qui se remplissent ! Donnons aux enfants la chance d'avoir un tuteur virtuel qui s'adaptera à eux et pourra leur offrir ce que l'enseignant n'a matériellement pas le temps de leur donner. Et ce qui vaut pour les plus jeunes vaut par la suite. Aucune raison de ne pas penser ce système de la maternelle aux études supérieures.

Mais, autre question, faut-il pour cela donner des cours d'IA ? Et si oui, des cours de quoi ?

Le sujet est sur la table et donne lieu à débat. Il y a ceux qui veulent apprendre aux enfants à coder et ceux qui disent que ça n'a aucun intérêt. Essayons d'y voir clair.

Les cours de codage – ou *coding* – consistent à apprendre aux enfants à écrire un programme en langage informatique. Depuis que les ordinateurs se sont multipliés à partir des années 1980, on se demande si ça a un intérêt et s'il faut le réserver aux futurs spécialistes ou le généraliser.

Mon avis : apprendre à coder, oui, mais seulement si cela permet de mieux vivre dans un monde qui intègre l'IA.

Depuis 2015, l'apprentissage du code est entré dans les programmes scolaires français ; il fait l'objet d'une épreuve au brevet des collèges. Parce que le monde va de plus en plus se numériser et se robotiser, on fait valoir que l'on risque une pénurie de compétences, il faudrait donc apprendre à programmer.

Sans doute le développement de l'IA va entraîner un développement de la programmation. Mais tous les enfants ne seront pas programmeurs ou développeurs quand ils seront grands, de même qu'ils ne sont pas tous informaticiens aujourd'hui ! En plus, il y a toutes les chances que le codage soit lui-même automatisé. En revanche, puisque nous devrons garantir que la machine fasse plus vite et mieux ce que l'humain ne fera plus, on va avoir besoin de gens qui comprennent ce que font les machines et qui sachent les superviser.

Donc, ce que nos enfants doivent apprendre, c'est à vivre dans l'univers que l'IA va créer. Et le rôle de l'école est donc, comme avant, de leur donner les clefs du monde dans lequel ils vont grandir et évoluer. Alors coder, c'est bien, mais, plus largement, c'est une éducation au numérique qu'il faut assurer. Que chacun comprenne ce qu'est l'IA, ce qu'il fait quand il s'en sert, ce que deviennent les données qu'il génère ou qu'il manipule et aussi quelles peuvent être ses dérives et comment s'en protéger.

L'INRIA – Institut national de recherche en informatique et en automatique – s'est engagé dans cette voie avec son projet Class'Code. Il repose sur l'idée que l'essentiel n'est pas de savoir écrire des lignes de code mais de savoir résoudre un problème complexe en faisant appel aux concepts et aux processus informatiques.

Il faut aller plus loin. Et on peut sans doute s'inspirer de ce que font d'autres pays. Par exemple, on sait que Singapour a développé une manière d'enseigner les mathématiques qui aboutit à des résultats beaucoup plus satisfaisants que les nôtres. Cédric Villani et Charles Torossian en parlent longuement dans le rapport qu'ils ont consacré à l'enseignement de cette discipline[1]. Pourquoi est-elle intéressante ? Parce qu'elle est progressive et donne du sens à ce qui est enseigné. Un seul exemple : l'idée que l'on va du concret à l'abstrait pour que les élèves mesurent l'utilité de ce qu'on leur enseigne et voient les mathématiques comme un jeu plutôt que comme une corvée. Ce n'est pas abaisser le niveau de l'enseignement, c'est au contraire élever le niveau de connaissance générale d'une génération puisque chacun comprend à quoi ça sert. Faisons la même chose avec l'IA. Si on enseigne juste le codage, il y a ceux qui vont aimer et ceux que ça va barber. C'est le cas avec toutes les matières. Si à l'inverse on commence par montrer aux enfants ce que c'est que l'IA en vrai et à quel point ça va irriguer leur vie, on a déjà gagné une partie de la bataille et on peut, en plus, leur expliquer comment programmer.

Au passage, on ferait bien d'appliquer la méthode à toutes les disciplines. Ça éviterait les sempiternels débats – sans parler des discussions parents-enfants – sur « le latin ça sert à rien, j'veux pas en faire ! ».

Et évidemment, ce qu'on fait à l'école, il faut le poursuivre ensuite dans le cadre de la formation professionnelle et de la formation continue. Pour les premières générations concernées, ce sera « niveau grand

1. Cédric Villani et Charles Torossian, *21 mesures pour l'enseignement des mathématiques*, 21 février 2018, La Documentation française.

débutant » et puis, progressivement, parce qu'arriveront sur le marché du travail des gens qui y auront été formés d'emblée, il s'agira de se tenir au courant des dernières évolutions.

On prend tous le train de l'IA

Tout ça n'a de sens que si on met le paquet sur l'accessibilité.

Voitures autonomes, maisons connectées, robotisation des entreprises, diagnostic assisté, toutes ces avancées nécessitent des débits de plus en plus élevés que les technologies en bout de course – ADSL pour le fixe et 3G/4G pour les portables – ne permettent pas d'absorber. Donc rendre l'IA matériellement accessible à tous, c'est d'abord un effort significatif en termes d'infrastructures. Je vous ai dit le rôle que les opérateurs de télécom doivent jouer pour construire l'IA nation. Les investissements d'infrastructure se chiffrent en milliards d'euros ; ils ne pourront pas tout faire tout seuls, d'autant que le retour sur investissement est très lent.

Aujourd'hui, il y a deux obstacles aux projets d'investissement dans les réseaux : les États n'ont pas les moyens de les financer et la fragmentation des opérateurs les empêche d'atteindre la taille critique qui leur permettrait de le faire.

Prenons le cas de la France. Le plan France Très Haut Débit, lancé en 2013, prévoit d'équiper intégralement la France en fibre et, à défaut, avec des technologies moins pérennes mais qui assurent le même débit minimum. C'est un boulet pour les finances publiques ! Initialement chiffré à 20 milliards d'euros, on l'évalue désormais à 35 milliards. En 2017, la Cour des comptes a consacré un rapport au sujet, pointant l'absence de cofinancement privé dans les zones les moins denses et, donc, les moins rentables[1].

Une alternative moins coûteuse et techniquement plus simple est le déploiement de la 5G. Mais, à force de baisser leurs tarifs pour être concurrentiels, les opérateurs téléphoniques n'en ont pas les moyens et comptent sur l'argent public. Alors on fait du troc... et le gouvernement leur a proposé, en échange d'investissements dans les infrastructures dans les zones rurales, de renouveler les licences 4G gratuitement[2].

Ce n'est pas en bricolant qu'on y arrivera ! Et on bute toujours sur le même problème : nos opérateurs sont trop petits pour investir chacun de leur côté ! Pensez, la Chine, c'est 3 opérateurs mobiles, 4 aux États-Unis et dans les deux cas des fusions sont envisagées[3]. Résultat : les investissements en réseau par an et par habitant sont deux fois plus élevés aux États-Unis qu'en Europe : 211 dollars contre 116[4] ! L'Association européenne des

1. Rapport public thématique, « Les réseaux fixes de haut et de très haut débit : un premier bilan », Cour des Comptes, janvier 2017.

2. « Le New Deal Mobile », communiqué de l'ARCEP, 2 août 2018.

3. Pierre Manière, « Mobile : la Chine songe à fusionner deux opérateurs », *La Tribune*, 6 septembre 2018 ; « T-Mobile-Sprint : le deal qui pourrait chambouler le marché américain du mobile », *La Tribune*, 30 avril 2018.

4. Orange, « Investments in telecommunications services higher in the United States than in the European Union : a robust and enduring gap », 2018.

opérateurs de réseaux de télécommunications (ETNO) a des raisons de se plaindre[1] !

Les solutions ?

On peut imaginer de faire contribuer financièrement les GAFAM et – dans une moindre mesure car ils sont moins présents sur le marché européen – les BATX. Mais il faut une volonté et une impulsion politiques et, surtout, que les États européens soient d'accord. Ce n'est pas encore le cas. Cela dit, rien n'empêche la France de prendre l'initiative en appliquant au niveau national un système qui pourrait ensuite être étendu aux autres États.

En attendant, l'Europe colle des rustines : un plan d'investissements supplémentaires de 1,5 milliard d'euros dans le cadre du programme de recherche et d'innovation Horizon 2020, 500 millions d'euros au titre du Fonds européen pour les investissements stratégiques et la Banque européenne d'investissement a consenti des prêts à certains équipementiers (250 millions à Nokia et 500 à Eriksson).

Ça ne suffira pas ! Il faut une vraie harmonisation à l'échelle européenne. Pourquoi ça marche aux États-Unis et en Chine ? Les premiers sont une démocratie et la seconde une dictature. Ce n'est donc pas ça ! En revanche, dans les deux pays, on a une unité de territoire, de monnaie, de langue et surtout de commandement. L'Europe avance en ordre dispersé. Si on veut

1. ETNO, « Lead or Lose : Europe is at digital crossroads, telcos can make the difference », 27 septembre 2018.

avancer, il faut qu'elle décide pour tous. Sur l'accès au réseau, il existe un code des communications électroniques européen et un Organe des régulateurs européens des communications électroniques. Franchissons le pas et donnons à cet Organe un vrai pouvoir de décision. Jean-Claude Juncker, président de la Comission européenne, s'est vanté – horreur absolue – de ne pas avoir de smartphone dans sa poche ! Prions pour que son successeur soit mentalement bien ancré dans le XXIe siècle.

Et on doit aussi se préoccuper de l'accès aux services que l'IA va transformer. C'est bien beau de dire que l'IA va permettre des opérations chirurgicales à distance avec des robots de haute précision ; encore faut-il qu'on dispose des plateaux techniques qui vont le permettre puisque la révolution de l'IA n'ira pas jusqu'à nous éviter de passer sur la table d'opération. Et il faut soutenir ceux qui développent ces technologies dans tous les secteurs : la construction, l'environnement, la sécurité, la domotique. Aujourd'hui, un « bâtiment intelligent », c'est une construction à haute efficacité énergétique ; demain, un « bâtiment IA », ce sera une construction avec laquelle on pourra dialoguer parce qu'elle sera connectée à d'autres objets, qu'elle sera capable de vous demander s'il faut déverrouiller la porte parce que vous semblez sur le chemin du retour, si vous voulez qu'elle prépare le dîner et qui vous indiquera en temps réel votre consommation de gaz, d'électricité ou de fioul.

Et puis les pouvoirs publics doivent se rendre compte qu'ils ont une mission incitative. Édouard Philippe a fait un pas en ce sens lors du discours de politique générale qu'il a prononcé le 4 juillet 2017 devant l'Assemblée : « Fixons-nous un objectif simple : avoir des services publics numériques de même qualité que ceux du secteur marchand. » Il a même cité en modèle l'Estonie qui a développé un modèle d'e-gouvernement dont s'inspirent nombre de pays. C'est un modèle remarquable : des politiques publiques volontaristes menées de concert par le gouvernement, l'administration et la société civile. Les résultats sont impressionnants : l'Estonie est devenue une « nation digitale » dans laquelle les cartes d'identité sont électroniques, les ordonnances médicales numérisées, le vote en ligne et on peut enregistrer une société en 18 minutes. Elle a même annoncé vouloir développer l'« estcoin », une crypto-monnaie estonienne. Bilan des courses : ce pays est devenu une Silicon Valley européenne et un expert reconnu sur la scène européenne et internationale. La France a d'ailleurs signé un accord avec elle le 19 mars 2018 pour renforcer la coopération entre les deux pays dans le domaine du numérique. Pas inintéressant comme expérience quand on veut construire l'IA nation.

Et bien sûr, tout cela doit être sécurisé car plus nous allons prendre le train de l'IA plus nous en serons dépendants et, comme toujours, la dépendance crée la fragilité. Si n'importe quel cyber-zozo peut hacker tout le système, nous aurons tout perdu. Donc ça ne fonctionnera que si l'IA nation est sûre.

À horizon 2030, il n'y a pas une minute à perdre. Et ça n'a l'air de rien mais tout ce dont je viens de vous parler, ce sont aussi des emplois !

La fin du travail n'est donc pas pour demain

Je vous ai parlé des études sur l'IA et l'emploi.

En général, celles qui disent que l'IA créera de l'emploi se fondent sur les chiffres : les pays qui ont le plus de robots (le Japon, la Corée du Sud, la Suède) sont aussi ceux qui ont le moins de chômage et le plus d'emplois industriels. À l'inverse, les pays sous-équipés en robots, parmi lesquels la France, sont ceux où l'industrie est la plus faible et le chômage le plus élevé. Il n'y a donc pas de corrélation entre la montée en puissance de l'IA et la disparition des emplois.

Pour conforter l'analyse, les mêmes convoquent Schumpeter et sa célèbre théorie de la « destruction créatrice ». En clair, chaque grande transformation technologique entraîne des gains de productivité et conduit à ce que des emplois se créent et se transforment tandis que d'autres sont supprimés car obsolètes. L'électricité a fait disparaître les allumeurs de réverbère mais elle a « inventé » les électriciens et toutes les professions ont dû s'adapter. Si on poursuit le raisonnement, les gains de productivité entraînent des offres plus compétitives donc le pouvoir d'achat augmente et avec lui la demande de biens et de services pour la production desquels on va réembaucher. Bref, on déplace les emplois mais la fin du travail n'est pas pour demain.

Tout cela est sans doute exact mais, la particularité de l'IA fait que personne n'a de certitude. On ne sait donc pas dire exactement qui sera l'allumeur de réverbères ni s'il y aura et combien de nouveaux électriciens.

En revanche, on sait que tout le monde sera concerné.

France Stratégie a essayé de pronostiquer les effets de l'IA sur le monde du travail[1], en particulier les transports, la banque de détail et la santé. Ses conclusions sont nuancées et surtout elle distingue deux cas de figure : soit l'IA se diffusera progressivement et elle sera intégrée au fonctionnement des entreprises au fur et à mesure de leur transformation numérique, soit le changement va s'opérer brutalement et seules les entreprises qui auront anticipé y survivront.

Si on ne prend que les secteurs envisagés dans ce rapport, on peut déjà se faire une idée de la nature des transformations.

Par exemple, dans le secteur des transports routiers, il y a une pénurie de chauffeurs : l'IA permettra de recourir, sur autoroute, à des camions autonomes en tenant compte des prévisions de trafic, donc améliorer sa fluidité et éliminer les risques d'accidents. Il faudra en revanche toujours des chauffeurs humains pour assurer les dessertes locales. Et puis des nouveaux métiers, comme la supervision des flottes de véhicules autonomes.

La banque est déjà l'un des secteurs pionniers de la numérisation. Depuis plusieurs années, on y a adopté les outils informatiques pour gérer les bases de données client, développer les opérations bancaires en ligne ou traiter les opérations techniques. Nous pratiquons déjà tous les Chatbots, ces machines avec lesquelles nous

1. France Stratégie, *Intelligence Artificielle et travail*, mars 2018.

« discutons » lorsque nous téléphonons à notre banque ; ils vont se multiplier pour les services bancaires de base. Conséquence : les conseillers bancaires vont se concentrer sur les opérations plus complexes pour lesquelles ils apporteront un accompagnement plus personnalisé.

Quant à la santé, je vous en ai déjà beaucoup parlé. Mais il y a aussi des exemples d'IA auxquels on ne pense pas alors qu'ils sont déjà opérationnels. Paro est un robot bébé phoque ; il apaise les personnes ayant des troubles du comportement, comme les malades d'Alzheimer. Il est capable d'analyser leur état mental et d'adapter les mouvements et les bruits qu'il émet. Matilda est un robot aux allures de jouet qui tient compagnie aux personnes âgées et handicapées dans les centres hospitaliers et leur rappelle l'heure de la prise de leurs médicaments.

Dans tous les cas, il s'agit d'une complémentarité entre l'homme et la machine. Et c'est de là que vont naître de nouveaux métiers et des emplois transformés. D'abord, dans le numérique et la robotique, pour assurer le développement et la maintenance de l'IA, que ce soit chez ceux qui la font, ceux qui l'utiliseront – les entreprises –, ou ceux qui vont l'étudier – les chercheurs. Pour beaucoup ce seront de nouveaux métiers parce qu'ils porteront sur un nouvel objet ; ce seront en quelque sorte les cavaliers de l'IA. Ensuite, il y a les métiers qui vont se transformer du fait de l'irruption de l'IA dans leur secteur : moins de tâches répétitives, plus de compétences transversales, de la communication, du relationnel et la gestion des aléas ; ils seront les gardiens des robots, ceux qui les superviseront et les réajusteront en tant que de besoin. Et puis, il y a les métiers qui vont changer parce que l'IA aura des effets secondaires : on ne pilotera plus une équipe de la même façon, on accompagnera les clients différemment. Je vous l'avais annoncé, ça fait beaucoup de bouleversements.

Le rapport que France Stratégie et le Conseil national du numérique ont publié en mars 2017[1] propose une série de critères permettant de mesurer la substituabilité des tâches, c'est-à-dire la possibilité de remplacer l'homme par la machine. Elle consiste en une série de questions : « la technologie est-elle suffisamment avancée pour que cette tâche soit automatisée ? la tâche nécessite-t-elle des capacités cognitives verticales (orientées sur une tâche très spécifique) ou horizontales ? l'automatisation de cette tâche est-elle acceptable socialement ? cette tâche nécessite-t-elle le recours à une intelligence émotionnelle ? cette tâche nécessite-t-elle une intervention manuelle complexe ? »

De quoi faire une cure d'optimisme raisonnable. Ce n'est pas la destruction de l'emploi qui nous attend, mais l'automatisation des tâches. Un rapport du McKinsey Global Institute de juin 2017 le montre très bien[2]. Pourtant, seuls 20 % des dirigeants d'entreprises en France font de l'IA une priorité stratégique alors qu'ils sont 40 % à se dire conscients des enjeux humains

1. Rapport du groupe de travail co-piloté par Rand Hindi et Lionel Janin, *Anticiper les impacts économiques et sociaux de l'Intelligence Artificielle*, *op. cit.*

2. McKinsey Global Institute, *Artificial Intelligence. The next digital frontier ?*, juin 2017.

que cette transformation représente[1]. Il y a encore du boulot ! Mais, c'est l'essentiel, il y aura toujours du travail.

Alors, une fois qu'on a cessé de se lamenter et admis que la manière de travailler va changer, c'est notre modèle social et sociétal du travail qu'il va falloir repenser. Et c'est un gigantesque chantier pour accompagner cette transformation.

Par exemple, accompagner les entreprises, et en particulier les TPE et les PME qui vont moins facilement passer à l'IA et qui ne doivent pas devenir des « déserts de l'IA »[2]. Accompagner les salariés qui peuvent avoir peur d'une forme de déshumanisation et sécuriser leurs parcours professionnels en organisant leur reconversion. Accompagner les effets induits de l'IA : sur la santé publique, sur l'environnement.

Tout ça demande du temps et une bonne dose de psychologie ! Parce qu'on ne construira pas l'IA nation contre l'humain !

---

1. The Boston Consulting Group et Malakoff Mederic, *Intelligence Artificielle et capital humain. Quels défis pour les entreprises ?*, mars 2018.
2. *Ibid.*

L'humain doit rester le chef : the winner is l'affect !

On va vivre ensemble

Les robots nous rendent meilleurs

Pas la peine de sortir de chez soi pour s'en rendre compte : l'IA a déjà changé notre quotidien. Elle est là pour nous simplifier la vie et nous faire gagner du temps et de l'énergie.

Qui n'a pas déjà affirmé d'une voix forte « O.K. Google… » ou « Siri, dis-moi… » ? Qui n'a pas déjà essayé de faire parler deux assistants vocaux entre eux pour admirer le résultat ? Les objets connectés sont partout, de l'assistant personnel vocal au bandeau qui facilite l'endormissement en passant par les smartphones apprenants et les drones. On en viendrait presque à comprendre Théodore, le héros du film *Her* de Spike Jonze, lorsqu'il tombe amoureux de Samantha, son assistante personnelle intelligente, qui comprend ses moindres demandes et prend des initiatives au point de lui sembler la partenaire idéale !

La reconnaissance vocale s'améliore de jour en jour. Le logiciel *Dragon* est capable de comprendre parfaitement toutes les phrases dictées par une personne sur ordinateur et sert aussi bien aux personnes présentant un handicap qui ne peuvent pas taper qu'aux chercheurs qui ont des dizaines d'entretiens à transcrire. Les moteurs de recherche sont de plus en plus efficaces ; les robots domestiques connectés – en charge de la sécurité de la maison, aspirateur, tondeuse – de plus en plus performants.

Et les nouvelles expériences se multiplient.

Par exemple, depuis le 22 janvier dernier, à Seattle, on fait ses courses chez Amazon Go sans passer à la caisse. Après un an de tests avec ses employés, le magasin a ouvert au public avec un système de capteurs et de caméras qui détecte les produits retirés des rayons par chaque client et génère la facture automatiquement. L'opération a été un tel succès qu'un deuxième magasin a ouvert dans la même ville à la fin du mois d'août et d'autres devraient voir le jour à Los Angeles. En France, la marque Caddie s'est associée à deux startups pour concevoir un « chariot intelligent » qui reconnaîtrait les produits au fur et à mesure qu'on les range et permettrait à la fois d'établir la facture du client et de gérer le stock en temps réel.

Assurément, nous vivrons mieux.

Mais, au-delà des aspects matériels, une révolution plus profonde nous attend. Elle concerne notre comportement.

Stéphane Mallard l'explique très bien : « la nouvelle valeur » sera « l'empathie »[1]. Avec l'IA, l'expertise, la connaissance et l'intelligence deviendront des « commodités » accessibles à tous et ce sont l'affect, la sensibilité, l'intelligence humaine qui deviendront déterminants. On n'ira plus chez son médecin pour un diagnostic – l'IA l'aura établi aussi bien et plus vite – mais pour son humanité. Entre dix cancérologues qui auraient le même niveau de compétence, on aura tendance, si le mal nous frappe, à choisir le plus sympathique, le plus attentionné, en un mot le plus humain.

L'IA va amener chacun d'entre nous à évoluer. L'enjeu d'une relation commerciale ne sera plus le produit ou le service – on le trouvera partout – mais d'être aimable avec le client, d'anticiper ses besoins. Idem pour la connaissance et l'expertise qui seront à la portée de tous, la différence se fera par la qualité de la relation humaine.

L'IA va nous obliger à devenir sympathique, ouvert et attentif aux autres, car c'est cette part d'humanité à laquelle le robot ne pourra jamais se substituer. Arrêtons d'avoir peur que les robots nous remplacent, ils vont rendre notre vie meilleure. Et ils peuvent nous rendre plus humains, à condition d'être conscients que c'est une part essentielle de la formation à l'IA.

1. Stéphane Mallard, *Disruption. Préparez-vous à changer de monde*, Dunod, 2018.

L'intelligence humaine a certes ses limites quand il s'agit d'emmagasiner et de traiter des informations, mais l'intelligence de la vie humaine échappe aux algorithmes. On le voit chaque jour.

Prenez la Coupe du monde. La banque Goldman Sachs avait fait tourner 200 000 modèles à « apprentissage automatique » qui ont simulé un million de possibilités pour prédire les résultats. Le 11 juin, elle a fièrement rendu public un rapport de quarante-cinq pages prévoyant que la France devait rencontrer l'Espagne en quarts de finale, l'Allemagne battre l'Angleterre en quarts de finale puis aller jusqu'en finale, que le Portugal allait battre l'Argentine et atteindre les demi-finales, que la Russie ne passerait pas les poules et qu'au final l'Allemagne l'emporterait… Mais quinze jours avant, Electronic Arts Sports, un éditeur de jeux, avait annoncé ses propres résultats basés sur la data de la FIFA : l'équipe de France battrait l'Uruguay 2-0 en quarts de finale, puis la Belgique 2-1 en demi-finale et remporterait la Coupe du monde contre l'Allemagne aux tirs au but. Ça permettait déjà de relativiser… Pas besoin de vous dire que rien ne s'est passé comme prévu ! Pourquoi ? Parce que le football est une combinaison de facteurs humains – la condition physique et mentale des joueurs, l'influence du public, de la presse, de la météo, de l'ambiance dans un groupe de joueurs, la qualité de l'arbitrage dont on a vu qu'il n'était pas toujours aidé par la VAR et une bonne dose de hasard – bref, ça échappe au rationnel mathématique.

Et c'est encore plus vrai lorsqu'on s'engage sur le terrain des sentiments. Un article des *Échos* explique comment les sites de rencontre tentent de mettre au point des algorithmes pour faire « matcher » – c'est le terme peu romantique utilisé par les professionnels de ce marché – les profils amoureux de leurs abonnés[1]. En clair, si vous habitez les beaux quartiers et que vous aimez Proust, la côte de bœuf et l'Olympique de Marseille, les algorithmes vont, automatiquement, vous éloigner d'une rencontre avec les profils de personnes issues de quartiers plus défavorisés, peu littéraires, « vegans » et supporters du PSG... C'est une approche artificielle et pas « humainement intelligente ». Elle est déterministe, voire ségrégationniste : les biais dont je vous ai déjà parlé. Mais surtout, cela suppose que l'amour est une équation et qu'il suffirait de « matcher » pour s'aimer ! Pas de doute, l'IA n'est pas programmée pour le coup de foudre.

Et que dire des expériences menées dans le domaine artistique.

En 2016, le projet « *The Next Rembrandt* », porté par Microsoft, ING, l'Université de Technologie de Delft et le musée hollandais Mauritshuis, ambitionnait de créer par IA une toile « originale » de Rembrandt. Plus de 300 peintures ont été passées au scan 3D et on a modélisé sa palette de couleur et sa façon de peindre les visages. Puis, à partir de ces datas, un algorithme a été conçu, pour

1. « L'intelligence Artificielle, nouvel atout des sites de rencontre », par Basile Dekonink, *Les Échos*, 3 juillet 2018.

imiter la « patte » de l'artiste. Le résultat est bluffant : un portrait d'homme imprimé en 3D dans le plus pur style du maître hollandais. Cela fait-il de l'IA un artiste ? Non. Elle imite à la perfection les techniques mais elle n'a rien inventé et elle n'a aucune conscience de la beauté de son « œuvre ». Les copistes peuvent s'inquiéter mais les peintres continuer à dormir sur leurs deux oreilles.

En clair, l'IA peut faire certaines tâches mieux que l'homme, comme une voiture transporte un homme plus rapidement que ses pieds ou un marteau enfonce mieux un clou qu'un poing, mais elle n'a ni conscience d'elle-même ni capacité émotive. Elle ne pourra jamais le remplacer dès lors que sont en jeu l'amour, l'humour, le ressenti, la créativité…

Et puis lui manquent aussi l'esprit critique et la capacité à prendre des risques, ce qui permet d'avoir des idées et de prendre des décisions en tenant compte de certaines valeurs.

Bref, l'IA n'est pas près de nous remplacer car, arrêtons de nous mentir, sans l'humain elle n'existe pas.

L'IA est ce que l'humain en fait

Beaucoup de ceux qui réfléchissent à l'IA s'interrogent sur le sens du terme « intelligence ». Pourtant le mot « artificiel » est au moins aussi intéressant : sa définition est d'être produit par le travail de l'homme. On ne saurait mieux dire que l'IA est ce que nous en faisons.

Certes, un robot dopé au *deep learning* a de formidables capacités d'apprentissage et s'améliore empiriquement, mais il reste une machine inventée et guidée par des hommes, incapable d'anticiper et de s'adapter à un élément pour lequel il n'a pas été programmé. Si on le débranche, il n'est plus rien, si on le sort du contexte pour lequel il a été créé, il ne sait pas quoi faire.

Prenez Deep Blue, le fameux ordinateur construit par IBM qui a battu Kasparov aux échecs en 1997. C'est cinq ans de travail, le génie de dizaines d'ingénieurs et des centaines de milliers de dollars pour lui donner une capacité de calcul de 200 millions de coups par seconde. Mais si vous demandez à Deep Blue de jouer au poker, il sera désemparé : il n'en connaît pas les règles et il ne sait pas bluffer !

Créer un algorithme, c'est développer un système capable d'absorber des informations en masse, de les traiter puis d'y réagir selon des mécanismes qui s'adaptent au contexte ou aux données pour maximiser les chances d'atteindre les objectifs qu'on a préalablement définis. Cette « intelligence » est créée par l'humain qui d'ailleurs la développe dans les limites qui tiennent à sa capacité de définir des systèmes de *machine learning*. En clair, les robots ont besoin de nous parce que nous les créons et, pour l'instant, leurs capacités demeurent limitées parce que nous ne savons pas encore techniquement comment leur en faire faire davantage. Ils sont plus performants que nous sur des tâches bien spécifiques – par exemple la reconnaissance faciale ou vocale – mais ne savent faire que ce pour quoi nous les programmons et dans les conditions que nous déterminons.

Et ils ne sont « intelligents » que parce qu'ils répondent à nos besoins.

J'entends ceux qui nous prédisent une IA forte qui serait capable de faire seule des choix et pourrait, le cas échéant, se retourner contre l'homme mais, j'avoue, je n'y crois pas ! Même si les progrès technologiques sont fulgurants, nous n'en sommes pas encore là et à nous de garder la main pour que les robots n'aient d'indépendance qu'en tant que nous en avons besoin. Je ne crois pas une seconde que les robots pourront, spontanément, se mettre à avoir des sentiments. En revanche, soyons vigilants lorsque nous prendra l'idée de les leur faire singer car le risque est grand que, au final, nous nous laissions prendre au jeu pervers que nous aurons nous-mêmes créé. Bien sûr, d'un point de vue technique, nous pourrons faire pleurer un robot. Cela ne veut pas dire que nous lui aurons fait ressentir de la tristesse ou qu'il souffrira. Nous l'aurons programmé pour que, en présence de certains paramètres, il ait une réaction humaine. Et nous deviendrions fous si nous décidions alors, emportés par notre élan, de sanctionner la maltraitance à robot !

Et puis, poussons au bout le raisonnement quelques instants. Que feraient les robots dans un monde dont les humains auraient disparu ? Quand bien même – parce qu'un esprit malade les aurait programmés à cette fin – les robots seraient la cause de cette disparition. Vous les voyez faire autre chose que ce pour quoi ils ont été programmés ? Les véhicules autonomes rouleraient, les drones armés tireraient, Amazon n'aurait plus un client et je ne sais pas qui les réparerait en cas de surchauffe. Soyons sérieux ! Les robots ne vont pas nous rejouer *La Planète des singes*, ni demain ni jamais !

Et puis ce serait trop facile parce que ça nous éviterait d'avoir à penser notre avenir ! À nous de construire l'IA nation et par la voie démocratique.

Homo Politicus n'est pas mort

J'ai bien compris qu'*Homo Politicus* était le cadet des soucis d'*Homo Deus*. Laurent Alexandre le dit très clairement. « C'est la capacité même du politique à "piloter" la société qui est remise en cause » et la démocratie est « plus fragile que jamais ». Il a raison de pointer l'impuissance de la politique, « absorbée dans le traitement des problèmes du passé et la communication au jour le jour ».

Il n'est pas le seul à tirer la sonnette d'alarme. Yuval Noah Harari y consacre de nombreuses pages de son second livre[1]. Pour lui, c'est parce que la démocratie – comme la dictature – n'est qu'une manière de traiter des données que l'IA la menace : « Le volume et la vitesse des données allant croissant, des institutions vénérables comme les élections, les partis politiques et les parlements pourraient devenir obsolètes » et « la démocratie pourrait décliner et même disparaître ». Nous serions en

1. Yuval Noah Harari, *Homo Deus. Une brève histoire de l'avenir*, Albin Michel, 2017.

train de passer à l'ère du « dataïsme », une « religion des datas » dont le souffle balaierait tout sur son passage, à commencer par nos modèles politiques. Et la montée des populismes ne serait que le premier symptôme de ce phénomène.

Tout cela n'est pas faux. Sinon, je n'aurais pas écrit ce livre en tandem avec Laurent Alexandre.

Oui la démocratie est menacée. Elle est menacée, sauf si *Homo Politicus* se réveille. Et, pour ça, il faut arrêter de le torturer et lui donner les moyens de gouverner !

Arrêtons de le torturer

Je veux bien entendre qu'*Homo Politicus* a des défauts. Il a déçu et ses résultats des dernières années n'ont pas été à la hauteur des promesses. Je sais ce que pensent les électeurs ; j'en ai même fait le diagnostic et proposé l'antidote dans un livre il y a trois ans[1].

Mais je veux aussi vous dire que ça ne peut plus continuer comme ça. *Homo Politicus* ne peut pas être en permanence la cible d'attaques personnelles, suspect de tout, traité comme un criminel en puissance. On a multiplié les contraintes, les contrôles et ça n'a fait qu'empirer les choses. Il suffit d'une dénonciation dans l'anonymat des réseaux sociaux pour que chacun soit livré en pâture.

Et ma conviction est que tout cela va très mal se terminer. Parce qu'on a oublié un détail, c'est que dans

1. Jean-François Copé, *Le Sursaut français*, Plon, 2016.

« homme politique », il y a « homme » et ce qu'on inflige aujourd'hui à *Homo Politicus* n'est plus humainement soutenable.

Nous avons basculé dans un univers de l'hyper-transparence où tout ce que l'on a fait, dit, écrit est traqué, reproduit, commenté sans rien savoir du contexte, des raisons et surtout sans jamais laisser la moindre chance de s'expliquer. De toute façon, à quoi cela servirait-il ? *Homo Politicus* est un menteur patenté et on ne voit pas pourquoi on le croirait !

Regardez comment est montée « l'affaire Benalla ». C'est tout sauf une affaire d'État : au plus un fait divers minable que la légèreté de l'Élysée a laissé prendre de l'ampleur mais qui n'aurait jamais dû occuper le terrain médiatique et politique pendant des semaines ! On s'émeut des fake news, mettant en cause les algorithmes qui les génèrent et les font circuler à la vitesse de la lumière. Mais Laurent Alexandre a raison, ce n'est pas nouveau. Simplement, au lieu de craindre que les technologies ne permettent de nous « neuro-manipuler », il devrait s'insurger que nous soyons aussi facilement neuro-manipulables !

Il ne s'agit pas de dire qu'*Homo Politicus* doit pouvoir tout faire ; il ne doit bénéficier d'aucune impunité et on a raison d'être exigeant à son égard. Mais on ne peut pas non plus lui reprocher tout et n'importe quoi. Parce que l'exposer autant et aussi directement, c'est d'abord le rendre incapable de gouverner, tétanisé à l'idée qu'on instrumentalise ses paroles ou qu'on annonce avoir exhumé un prétendu cadavre qui le rendra inaudible.

Il faut que les citoyens arrêtent d'en demander trop aux hommes politiques, parce qu'à force de les torturer, on finit avec Trump ou Poutine !

Les démocraties sauront toujours produire des politiciens à la chaîne. Mais à force on risque d'étrangler le système et on condamne les démocraties à ne plus jamais faire émerger des hommes d'État. Si je n'avais qu'un seul message à retenir de ce livre, c'est celui-là : halte au feu, avant qu'il ne soit trop tard !

Donnons-lui les moyens de gouverner

Bien sûr que le fonctionnement de nos démocraties est devenu inadapté. La preuve : ce sont les régimes autoritaires qui s'en sortent le mieux... Pourquoi ? Eh bien parce que leurs dirigeants gagnent, par la force et la peur, les marges de manœuvre que les citoyens des États démocratiques refusent à leurs élus.

Alors, oui la démocratie est moribonde. Laurent Alexandre a raison. Sauf si... après avoir prédit le chaos, on se concentre sur les solutions !

Le nœud du problème viendrait de la désynchronisation entre politique et IA ? Dont acte ! Dix-huit mois pour faire une loi, dix-huit secondes pour faire un tweet, le match est inégal. Les décisions politiques doivent être prises beaucoup plus rapidement. Mais, ne nous leurrons pas, elles ne gagneront jamais la course de vitesse avec l'IA... sauf si un jour l'IA est au pouvoir. On verra ce que Victor Bot fera dans vingt-cinq ans.

Mais surtout, il ne faut pas se tromper de sujet !

L'IA est une révolution ; si vous m'avez lu jusque-là, vous savez que j'en suis convaincu ! Elle va changer notre manière de vivre, de travailler, l'organisation de la société. C'est un défi pour la démocratie. Mais la mission d'*Homo Politicus* c'est de l'anticiper, pas de courir après.

Laurent Alexandre en appelle à un « État fort » qui crée « un écosystème favorable à l'émergence d'acteurs français » ; je suis d'accord ! C'est ce que j'appelle l'IA nation.

Et je suis convaincu qu'il faut la construire dans une perspective européenne.

Mais ça ne veut pas dire qu'il faut tout jeter pardessus bord. Laurent Alexandre a tort quand il dit que la justice et la défense, c'est-à-dire le régalien, seront des tâches obsolètes ; l'IA va les transformer. Bien sûr, nous devons éduquer et former pour combattre les inégalités, mais il a tort encore quand il explique que « la protection contre les inégalités cognitives » est « le nouveau régalien ». Le « nouveau régalien », c'est le régalien qui intègre l'IA ! Et c'est pour ça que les politiques doivent la conquérir.

Mais ça n'arrivera pas, sauf si *Homo Politicus* a à nouveau les coudées franches. On peut tout critiquer, on peut tirer des plans sur la comète, si *Homo Politicus* n'a pas les moyens de gouverner, on tuera la démocratie et on aura beau jeu de dire que c'est l'IA la responsable.

Soyons clairs : si la démocratie est en danger, c'est parce qu'on a cessé d'en respecter les règles.

Homo Politicus doit agir vite, d'accord. Mais pas pour rattraper l'IA ou faire comme elle. Il doit agir vite pour obtenir des résultats. Et je pense qu'il faut le faire en gouvernant par ordonnances.

Mais, en démocratie représentative, agir vite, c'est décider rapidement pendant toute la durée du mandat pour lequel *Homo Politicus* a été élu. Donc, on arrête de refaire le match dans la rue ; on arrête de contester avant même que quoi que ce soit ait été décidé. Parce que sinon, *Homo Politicus* ne bouge plus, ne décide plus et là, c'est sûr, on ne risque pas d'avoir des résultats !

Le mouvement des Gilets Jaunes est venu – hélas – illustrer parfaitement tout ce que nous redoutions. Laurent Alexandre nous dit que, avec l'IA, ce type de mouvement va se généraliser parce que l'IA transforme l'organisation sociale en favorisant les élites intellectuelles et en affaiblissant le peuple, mal préparé à la révolution technologique. C'est vrai, mais raison de plus pour anticiper.

Le mouvement des Gilets Jaunes, c'est d'abord une réaction de colère devant une augmentation folle depuis 2017 des taxes et, avec elle, une baisse du pouvoir d'achat. Cette exaspération était totalement légitime et l'exécutif qui avait promis l'inverse, n'aurait jamais dû s'engager dans une telle direction pour, en plus, multiplier les maladresses de communication les plus élémentaires.

Le tout, avec en toile de fond, quarante ans d'hypocrisie entre les Français et leurs dirigeants : les Français qui pensaient que le pays irait mieux avec toujours plus de dépenses publiques et leurs dirigeants incapables de leur dire non… et qui compensaient chaque année par des hausses d'impôts et de charges. Résultat : 56 % de dépenses publiques et 47 % de prélèvements obligatoires rapportés au PIB. Record mondial !

Le contexte a fait le reste : des réseaux sociaux avec leur cortège de fake news et BFM lancés à plein régime pour atteindre leur cible. Inutile de dire que, face à un tel déferlement, tout appel public à la raison devenait inaudible. Et lorsque, enfin, le Président de la République a décidé de parler, c'était pour capituler sans conditions mais trop tard pour que ses annonces puissent calmer la colère. Parce que, et c'est le deuxième élément de contexte en même temps que le plus important, les réseaux sociaux n'ont été que la caisse de résonnance d'un gigantesque mal être, un sentiment de déclassement et de désespérance d'une partie de la population qui a la conviction d'être oubliée et, donc, sacrifiée. Puis, dans un scénario archi-connu et parfaitement orchestré, l'extrême gauche et l'extrême droite ont pris le relais, n'ayant plus qu'à souffler sur les braises pour déclencher l'incendie qui couvait.

Et, dans cette affaire, c'est l'autorité républicaine qui a été défaillante.

Elle a tout perdu : la rue – qu'elle a laissée aux mains des extrémistes, des casseurs et des pillards – et l'esprit de réforme – auquel elle a renoncé en laissant penser qu'il suffisait de tout casser pour obtenir ce que l'on demandait. Sans surprise, s'en suit une surenchère de revendications toutes plus délirantes les unes que les autres et qui ont pour seul point commun de vouloir mettre en pièce le système.

Et puis il y a des gagnants. D'abord les extrêmes. L'extrême gauche qui a semé l'agitation et fait tanguer les institutions ; les demandes des gilets jaunes sont pour une large part le programme de La France Insoumise qui appelle à l'insurrection permanente et au renversement du régime. Et, de l'autre côté, l'extrême droite dont les sondages nous prédisent qu'elle raflera la mise dans les urnes. Mais il y a aussi des super-gagnants : ce sont les GAFAM, incarnation absolue de ce capitalisme que les casseurs voulaient détruire ! En effet, c'est via Facebook que la mobilisation s'est organisée et relayée. Et, alors que les magasins étaient devenus inaccessibles, Amazon est apparu, pour de nombreux Français paniqués par les avertissements alarmistes du gouvernement et les images dont nous ont abreuvés les chaînes d'information en continu, le moyen le plus rassurant d'acheter leurs cadeaux de Noël.

Il est grand temps que le Résistance s'organise !

Parce que la démocratie ce n'est pas ça ! La démocratie, c'est un contrat de confiance par lequel les électeurs demandent à leurs élus d'agir vite pendant un temps long. Ça s'appelle la démocratie représentative et quand on veut qu'un pays soit gouverné, au sens le plus fort du terme, on n'a pas encore trouvé mieux… et, croyez-moi, la France a beaucoup cherché !

Et l'IA va tout changer mais pas ça ! Elle sera peut-être la « mort de la mort » mais elle n'a pas de raison de tuer la démocratie… sauf si la démocratie est incapable de se saisir de l'IA et, bien sûr, sauf si les citoyens décident de la programmer pour tirer la dernière balle !

Table des matières

Cet ouvrage a été composé par PCA

Imprimé en France par CPI
en janvier 2019

pour le compte des Éditions J.-C. LATTÈS
17, rue jacob – 75006 Paris

JC Lattès s'engage pour l'environnement en réduisant l'empreinte carbone de ses livres. Celle de cet exemplaire est de : 498 g éq. CO_2
Rendez-vous sur www.jclattes-durable.fr

N° d'édition : 01. – N° d'impression : 3032407
Dépôt légal : février 2019